TRA TERRA E CIELO

" The Beginning " VOLUME 1

Tratto dalla vita del Pastore Evangelico - Aldemir Santos

Scritto da Marisa Brogna

Prima Edizione Giugno 2022

PREFAZIONE :

Aldemir, un bambino nato in San Paolo del Brasile, si ritrova a vivere nelle Favelas. Passa le sue giornate tra casa e scuola. Spende il suo tempo libero giocando nel cortile con le sorelle per evitare così cattive amicizie.

Fino a quando alla tenera età di 8 anni viene abbandonato dal padre. Con una madre sola e costretta a lavorare per poter provvedere a lui e le sue sorelle, Aldemir viene attirato presto da quella che è la vita di strada.

A 12 anni, età in cui i bambini delle Favelas sono chiamati già ad essere uomini, Aldemir, nonostante i divieti della madre, sceglie di far parte di una banda.

Destinato a morire prematuramente a causa della sua vita da boderline e dedito a droghe ed alcool, Aldemir sembra avere un destino già segnato, fino a quando un suo amico lo invita in una Chiesa Evangelica Pentecostale in occasione di una funzione.

Seduto nei banchi della Chiesa, Aldemir si vede nelle più fitte tenebre mentre osserva il suo amico nella luce e nella pace. Questo procura dentro di lui un senso di spavento e di tormento, che lo porta a decidere di cambiare vita accettando la **Parola di Dio (Bibbia)** come verità assoluta e Gesù Cristo come proprio Salvatore.

Da quel momento, lasciato ogni cosa, segue ed annuncia fedelmente il puro Evangelo. Durante il suo ministero il Pastore Aldemir Santos diventa testimone oculare di miracoli, guarigioni, liberazioni da spiriti demoniaci e di molte altre **opere descritte nella Bibbia compiute nel Nome di Gesù Cristo.**

Lo scopo di questo manoscritto è raccontare i fatti accaduti durante la predicazione della Parola Vivente e Potente del Vangelo, e come ancora al dì d'oggi, essi continuano ad accadere.

In questo libro è raccontata solo la sua conversione, ed è il precursore di altri manoscritti pieni di testimonianze accertabili della reale opera di Dio negli uomini.

Dio benedica la tua vita caro lettore.

Giovanni 3,16-18

16 Dio infatti ha tanto amato il mondo da dare il suo Figlio unigenito, perché chiunque crede in lui non muoia, ma abbia la vita eterna.

17 Dio non ha mandato il Figlio nel mondo per giudicare il mondo, ma perché il mondo si salvi per mezzo di lui.

18 Chi crede in lui non è condannato; ma chi non crede è già stato condannato, perché non ha creduto nel nome dell'unigenito Figlio di Dio.

L' AUTRICE

Marisa Brogna

È mattina presto in San Paolo del Brasile. Il sole sta sorgendo. I tetti delle case si illuminano poco a poco, mostrando uno scenario surreale. Milioni di case colorate una accanto all'altra trasudano allegria solo nel guardarle. Tante case, tante vite, tanti luoghi oscuri dove il sole entra giornalmente con i suoi raggi per portare un momentaneo sollievo in quartieri dove la vita scorre piacevole solo per chi la osserva da lontano. Nessuno si ferma a riflettere, che in ognuna di esse si nasconde un dramma, fatto a volte di dolore e disperazione, di angoscia e di povertà. Il sole sembra dare una nuova giornaliera speranza alla gente del quartiere, imponendo, con la sua maestevole autorità alle ombre della notte di ritirarsi, anche se per un breve tempo, affinché la serenità possa regnare illusoriamente per qualche ora.

Alle prime luci dell'alba tutto è calmo, alcuni cani randagi affamati abbaiano lottando tra di loro, litigandosi una fetta di pizza lasciata in strada da qualche turista, svegliando così il barbone del quartiere il quale, come sempre, ha passato la notte per strada, dormendo sdraiato sotto un lampione appena spento, ubriaco e già stanco della vita. Lentamente le ombre si ritirano nell'oscurità, l'aria umida diventa più dolce e piacevole lasciando spazio ad una nuova frenetica giornata.

Aldemir un bambino di otto anni, continua a rigirarsi nel letto in attesa di un nuovo giorno. Il caldo crescente inizia ad infastidirlo oltremodo. La luce del sole entra prepotentemente nella sua stanza dove forme e colori prendono vita. Alla parete alcune fotografie di Aldemir sono in bella vista. Immortalano un vispo bimbo con la pelle mulatta, occhi chiari e capelli ricci e scuri. Indossa la divisa da calcio, ha un viso fiero di chi si affaccia alla vita con entusiasmo e volontà di riuscire a scrivere il suo nome in un libro che farà la storia.

Nonostante la finestra socchiusa il fresco della notte si dirada lasciando spazio ad un tiepido calore che presto diventerà insopportabile. Un odore di pane fresco proviene dal forno in fondo alla strada ed inonda tutto il quartiere compresa la stanza di Aldemir, il quale, già sogna di pregustarlo con una buona tazza di latte freddo per colazione.

Oggi è domenica. Aldemir ama la domenica perché è l'unico giorno della settimana in cui tutta la famiglia è riunita in casa. Il papà di Aldemir, Almir, lavora come meccanico per lo stato, mentre la mamma, Arasmina, chiamata da lui affettuosamente con il soprannome di " Cioccolatino " si occupa dei bambini e della famiglia a tempo pieno. Arasmina è una donna cagionevole di salute ed a volte fa cose strane, tipo battere la testa contro il muro fino a svenire. Non succede spesso, ma quando succede Aldemir e le sue sorelle si spaventano così tanto da andare in camera ed abbracciati l'uno all'altra rimangono in attesa che il frastuono finisca ed Arasmina si calmi.

Ultimamente i genitori di Aldemir litigano spesso. Lui non è riuscito a capire bene il perché. Uno dei motivi sembra essere l'ossessione di suo padre per la magia bianca. Almir insiste nel portare i suoi figli in un luogo chiamato da tutti in Brasile " Tavola Bianca " mentre Arasmina continua ad insistere opponendosi alla magia bianca come se avesse l'innata consapevolezza che la magia è solo radice e fonte di guai, qualsiasi colore vogliano le persone attribuirle.

Almir difende le proprie convinzioni credendo pienamente nella magia bianca e come essa possa migliorare la vita di tutti loro ed il continuo opporsi di Arasmina lo infastidisce oltremodo minacciando profondamente, a suo parere, la sua autorità di padre e di marito.

Nella loro ultima litigata però, dopo aver ordinato ad Aldemir e le sue piccole sorelline di andare a letto, le urla dei due vibrano per tutto il quartiere tanto da spaventare Aldemir che, rinchiuso nella sua stanza, è intento ad ascoltare e guardare tutto attraverso il buco della serratura. Almir nella sua autorità di padre " padrone " ha già deciso di trasferirsi in una nuova casa inconsapevole del fatto di creare un punto di non ritorno perdendo poi per sempre la tranquillità della propria famiglia.

Almir accusa Arasmina di vivere al di sopra delle proprie possibilià. L'affitto della loro attuale casa con tre camere da letto, cucina, salotto e giardino è troppo alto da sostenere. I bambini crescono ed anche se il lavoro non scarseggia bisogna fare economia per provvedere alla scuola ed ad ogni loro bisogno.

Arasmina pur essendo ben consapevole e nonostante approvi il punto di vista di Almir in merito, continua ad insistere di non andare via da quel quartiere. I suoi punti di forza sono la vicinanza delle scuole, un giardino privato dove i bambini possono giocare senza influenza esterna, ed un quartiere tranquillo dove tutti i negozi sono a portata di mano. In quel luogo per lei la vita anche se tribolata sembra essere più vivibile che altrove. A solo otto anni, Aldemir ha già realizzato il fatto che cambiare quartiere per lui significa cambiare totalmente la sua vita. Non avrebbe più potuto giocare in cortile con le sorelle inventando mille fantasiose attività di svago per passare il tempo. Al contrario di Alda ed Adriana ancora troppo piccole per capire cosa significa cambiare quartiere, Aldemir ha già davanti a sé un quadro della situazione ben definito.

Totalmente scoperto dal lenzuolo a causa del caldo ed indossando solo la maglietta ed il pantaloncino, Aldemir sembra essere perso nei suoi pensieri e nelle sue preoccupazioni. Con un viso triste cerca di immaginare lo scenario che avrebbe vissuto a colazione, dopo la litigata della sera precedente avvenuta tra i suoi genitori. Molto probabilmente Almir avrebbe bevuto in silenzio il suo caffè senza rivolgere la parola ad Arasmina, la quale, avrebbe comunque servito la colazione con educazione. A volte i silenzi di Almir sono così glaciali da raffreddare perfino il sangue nelle vene di Aldemir.

" Aldemir, Aldemir " sente chiamare sottovoce. Chi sarà mai a quest'ora ? Pensa ancora assonnato. " Aldemir sei sveglio ? ". È la voce della piccola Alda. Sta chiamando Aldemir dalla sua camera attraverso la finestra del cortile. Aldemir non vuole rispondere e rotolatosi a pancia in giù copre la sua testa con il cuscino sbuffando. " Aldemir .. affacciati alla finestra ! ". Purtroppo Aldemir conosce bene la determinazione della piccola Alda, se inizia a martellare con insistenza per ottenere attenzione non la smette fino a quando la riceve. Contrariato, scocciato ed a malincuore Aldemir si alza in piedi raccimolando le forze e la lucidità necessaria per poter rispondere ad Alda.

Il letto di Aldemir è posizionato sotto la finestra, ma essendo rumoroso lui si muove molto lentamente perchè non vuole assolutamente svegliare i suoi genitori nella camera accanto per poi affrontare una punizione ed ulteriori urla. Così alzatosi molto lentamente si arrampica lungo la parete e con molta difficoltà raggiunge la finestra per poter parlare con la sorella. Aldemir non si è mai spiegato il mistero di come le sue sorelle al contrario di lui riescono ad arrampicarsi con facilità nonostante la loro finestra sia posizionata alla stessa altezza della sua.

" Alda ritorna a letto . E' presto ! " Esclama ancora assonnato stropicciando gli occhi a causa del sole. " Non posso ! " risponde Alda con una vocina dolce e tenera. Scuotendo la testa e sospirando Aldemir la guarda mentre lei cerca di tenersi ritta in piedi per poter parlare " Perché non puoi ? Cosa c'è ? " Domanda sorridendo osservando le buffe smorfie di Alda causate dalla paura di cadere. " L'odore del pane caldo e delle brioche mi ha svegliato.. Ho fame ! " Esclama lei spalancando gli occhi guardando in direzione del forno. " Torna a letto. Tra poco mamma si alzerà ed andrà a comprare il pane per la colazione ! " Replica lui rientrando in casa scocciato.

"Aldemir, Aldemir " sente di nuovo chiamare con voce preoccupata. Esausto si arrampica di nuovo verso la finestra " DIMMI ! " esclama ad alta voce. " Se finisce il pane e le tutte brioches cosa facciamo ? " Domanda Alda con le lacrime agli occhi. Nel guardarla con la sua camicina da notte color rosa ed i suoi capelli lisci lungo il suo visino color caffè, il cuore di Aldemir si intenerisce. " Non finiranno stai tranquilla. Ora torna a letto ! Se mamma e papà ti scoprono saranno guai ! " Replica lui sottovoce. Alda annuisce e sorridendo rientra in casa. " È troppo presto per alzarsi e troppo tardi per riaddormentarsi " Cosa fare ? pensa Aldemir sdraiandosi nuovamente sul letto. Nel guardare le sue foto sogna di diventare un grande campione di calcio prima di chiudere inconsapevolmente gli occhi e riaddormentarsi profondamente cullato dai suoi desideri.

" Toc Toc Toc " un lieve rumore alla porta, un bussare appena percettibile sveglia Aldemir dal suo sonno. " Aldemir, Aldemir ! Alzati e vieni in cucina, la colazione è pronta ! " Esclama gentilmente Arasmina. Aldemir adora ascoltare la voce della mamma, una voce dolce e penetrante ma a volte anche decisa ed autoritaria. Preso dall'odore di brioches e dalla fame, corre in cucina dove con grande sorpresa trova tutti sorridenti seduti intorno al tavolo, mangiando e chiacchierando serenamente. " La notte avrà portato via il cattivo umore di mamma e papà ! " Pensa tra sè prendendo una sedia per sedersi accanto alla piccola Alda.

" Fate presto colazione. Oggi andremo tutti a vedere casa nuova ! " Dichiara Almir con un aria soddisfatta. Aldemir sente gelare immotivatamente il sangue nelle vene come se un fulmine caduto accanto a lui lo avesse stordito dal forte rumore. La fame gli è passata immediatamente e guardandosi intorno con un viso abbattuto cerca di farsi coraggio per non rattristare il gentile animo di Arasmina. I suoi occhi si riempiono di lacrime. " Mangia la tua colazione. Oggi sarà una giornata lunga ! " Esclama Almir passando leggermente la sua mano nei capelli di Aldemir in modo giocoso.

Aldemir è immobile come una statua di ghiaccio. Avverte dentro di lui un fiume di emozioni contrastanti ma fa attenzione a non farli trasparire. Beve due sorsi del latte così tanto desiderato e dando un solo morso alla brioche corre in camera chiudendo rapidamente la porta. In camera Aldemir si appoggia alla porta cercando di respirare regolarmente. Vuole comportarsi da " piccolo uomo " come lo chiama sempre Almir e vestendosi svogliatamente come un condannato diretto verso il patibolo da innocente si prepara per uscire. Aldemir sente crescere in lui l'ansia e non riesce a capire del perché questa brutta sensazione lo invade fino a farlo tremare di paura. " In fondo è solo una nuova casa, cosa sarà mai ? " Continua a ripetere nella sua mente. " Avrò dei nuovi amici ed una nuova scuola non devo avere paura ! " Pensa e ripensa incessantemente indossando i suoi pantaloncini blue e la sua maglietta bianca con la scritta della sua squadra di calcio preferita.

Aldemir sente un bussare alla porta " Allora sei pronto ? " Domanda Arasmina aprendo lentamente la porta per entrare. Aldemir si sente per un attimo scoperto davanti la presenza di sua madre, tanto da non riuscire a guardarla negli occhi. Arasmina conosce molto bene suo figlio e nel chinarsi per aggiustargli la camicina lo guarda teneramente sorridendo " Cosa c'è Aldemir ? A me puoi dirlo ! " Esclama con un tono di voce rassicurante.

" E' tutto ok mamma ! " replica lui sorridendo mentre in realtà avrebbe voluto urlare tutta la sua paura ed il suo smarrimento per questa scelta così repentina dei suoi genitori. Aldemir avrebbe voluto confessare ad Arasmina questo senso di sconforto così grande tanto da avvertire un nodo in gola. " Ok allora andiamo ! " Replica lei prendendo Aldemir per mano recandosi verso la porta di uscita.

Il tragitto per arrivare alla nuova casa è interminabile pensa Aldemir guardando di continuo la strada. Neanche 30 minuti di lontananza dal vecchio quartiere ad Aldemir sembrano una vera e propria eternità. Durante il tragitto, seduto sul sediolino posteriore della macchina di Almir, guarda fisso fuori dal finestrino senza proferire parola. Osserva il paesaggio cambiare mano a mano l'avvicinarsi della nuova destinazione. Le case in questo quartiere sono più piccole ed affollate. Molte di esse hanno i tetti fatti in lamiera ed i bambini giocano per le strade tra le pozzanghere sporcandosi così di fango. Vecchietti seduti davanti le loro case fumano ed aspettano un miracolo che cambi la loro vita lasciando scorrere il tempo tra ricordi e rimpianti. Adolescenti parlano ad alta voce intimidendo i passanti, molti di loro, li ricorrono minacciandoli con piccole armi per derubarli almeno dei soldi di un pezzo di pizza.

Il cuore di Aldemir si stringe tutto di un tratto diventando piccolo piccolo come una noce. " Dove siamo mamma ? " Domanda visibilmente spaventato con un filo di voce. " Questo è il quartiere delle Favelas ! " Replica Almir con tono secco ed autoritario stoppando così qualsiasi ulteriore domanda da parte di tutti. " Le cose non potrebbero peggiorare più di così" pensa Aldemir fino a quando non si ritrova davanti una casa piccola e senza giardino.

I pochi metri di vialetto percorribili per arrivare all'entrata sono preceduti da un cancelletto fatto di legno. Aldemir non ha il coraggio di alzare lo sguardo " E' tutto così strano qui " Pensa perccorendo i pochi metri di entrata fino alla porta mano a mano con Arasmina e con la sorella Adriana. Allo spalancare della porta Aldemir non rimane affatto sorpreso da ciò che vede. Una casa piccola, non malandata, ma non abbastanza grande da poter vivere agiatamente con la sua famiglia. Nella piccola cucina c'è abbastanza spazio per un divano letto ma le camere da letto sono solo due ed Aldemir realizza immediatamente che avrebbe dovuto condividere la camera con le sue sorelline più piccole. Per un bambino di 8 anni ritrovarsi in camera due donne è a suo parere davvero molto difficile.

Aldemir vorrebbe reagire e ribellarsi in qualche modo ma il timore di essere maltrattato da Almir solo per aver espresso una sua opinione senza essere interrogato lo spaventa, così si rassegna immediatamente al fatto di dover subire le urla ed il pianto della piccola Alda prima di dormire, per non parlare poi del countdown di Adriana che, prima di dormire conta disperata le pecore pensando di addormentarsi più velocemente. " Un vero e proprio incubo " Pensa Aldemir riguardando ad Arasmina mentre lei per suo conto cerca di nascondere un viso cupo dietro un sorriso mesto. " Allora bambini questa sarà la vostra nuova camera ! " Esclama Almir con voce trionfante. Aldemir fissa gli occhi di Almir. In quel momento avrebbe voluto poter reagire ma non riesce a proferire parola ed a testa bassa stringe la mano di Arasmina teneramente, come per trovare un conforto ed il coraggio di accettare questa nuova realtà.

Il giorno del trasloco a " Casa Nuova " Come la chiama soddisfatto Almir, Aldemir si guarda intorno nel tentativo di dire addio ad un posto in cui è stato felice. Contando i passi dalla casa alla macchina si volta verso il lampione e guardando il barbone abbassa la testa. " Chissà se lo rivedrò ancora " Pensa tra sè con un pizzico di rimpianto. I bagagli sono pronti e caricati tutti sulla macchina. Un furgoncino non molto grande trasporta i pochi mobili di loro proprietà. In casa nuova non c'è spazio per tutto così Arasmina è costretta a donare e vendere la maggior parte delle cose come ad esempio la scrivania di Aldemir dove lui siede tutti i giorni per disegnare, e, come l'armadio di Alda ed Adriana meno capiente di quello di Aldemir, il quale, ora avrebbe dovuto contenere gli abiti di tutti e tre.

In macchina Aldemir guarda Arasmina come se volesse chiedere aiuto. Aldemir ed Arasmina non parlano molto tra di loro perché la loro comunicazione è ad un livello molto profondo. Fin da bambino Aldemir ha imparato a capire Arasmina da uno sguardo avvertendo il suo stato d'animo così come il suo dolore o la sua gioia, e per lei era lo stesso. " Coraggio Aldemir, ce la faremo ! E' una cosa momentanea ! " Esclama sottovoce Arasmina sorridendo ed accarezzando le gote di Aldemir per rassicurarlo. Aldemir al solo tocco della dita della dolce Arasmina sente tutto il calore e l'affetto di lei ed annuendo senza replicare prova ad accennare un sorriso rassicurante. " Si, andrà tutto bene ! " Si ripete Aldemir incessantemente nel tragitto. " Non c'è motivo per cui essere tristi ! " Esclama stringendo a se le sue due sorelle scoraggiate e disorientate almeno quanto lui da questo repentino cambiamento.

Il tempo passa veloce nella nuova casa ed Aldemir cerca di ambientarsi velocemente aiutando ed incoraggiando perfino Arasmina, la quale a differenza dei bambini, avverte molto di più il disagio del cambiamento. Le crisi di Arasmina diventano più frequenti la maggior parte di esse si manifestano dopo le interminabili ore di litigate con Almir. Aldemir cerca di fare il possibile per aiutarla ma le cose sembrano peggiorare di giorno in giorno tra di loro. " ORA BASTA ! MI HAI STANCATO ! VOGLIO VIVERE LA

MIA VITA ! NON POSSO PIU' SOPPORTARE IL PESO TUO E DI QUESTA FAMIGLIA ! " Sente urlare Aldemir nella sua camera cercando di calmare le sorelle spaventate da una ulteriore furiosa litigata tra Arasmina ed Almir. " HAI UNA FAMIGLIA ! ABBIAMO DELLE RESPONSABILITA' VERSO I BAMBINI ! " Replica lei ad alta voce con un tono deciso ma timoroso. " E' TUTTO SBAGLIATO ! QUESTA VITA E' SBAGLIATA ! VADO VIA ! " Urla Almir sbattendo la porta nell'uscire di casa.

Il conseguente agghiacciante silenzio durato per qualche istante gela il cuore di Aldemir. Più di una volta Almir ha minacciato di lasciare la famiglia ma questa volta il cuore di Aldemir è instintivamente consapevole che non sarebbe più tornato da loro. Istintivamente apre la porta della camera e percorrendo velocemente la cucina rincorre Almir fino alla fine del piccolo vialetto. " PAPA' DOVE VAI ? " Urla Aldemir con tutto il fiato dei suoi polmoni. Almir si ferma per un istante, scuote la testa e riprende a camminare a testa bassa. Aldemir in lacrime rincorre Almir e cercando di fermarlo lo afferra per le mani. " Papà non andare via.. rientra in casa .. abbiamo bisogno di te ! " Esclama il piccolo Aldemir implorando Almir disperatamente. Almir si ferma a guardare il figlio. Il suo sguardo è agghiacciante ed i suoi occhi sono freddi come il vetro. Non un raggio della splendente luna si riflette in essi.

Almir abbassando lo sguardo verso Aldemir lo afferra per un braccio. " Ascolta Aldemir. Io non posso più occuparmi di voi ! Ho deciso di andare via sul serio questa volta e non tornerò. Tu sei un uomo ormai .. hai dieci anni. Occupati di tua madre e delle tue sorelle. Sii FORTE ! Ne avrai bisogno ! ". Aldemir avrebbe preferito morire in quel momento stesso quando incrociando lo sguardo di suo padre riesce a leggere tutto il suo egoismo e per la prima volta nella sua vita comprende quanto le persone possano essere spietate con lui non importa se abbiano il tuo stesso sangue o no.

In un solo istante Aldemir perde tutta la sua vitalità. Riesce chiaramente a sentire il rumore del suo cuore spezzarsi. Suo padre lo sta abbandonando e lui non se ne capacita affatto. Voltatosi indietro per rientrare, davanti il portone di casa, Aldemir fissa la porta di entrata per qualche istante senza avere il coraggio di entrare. Cosa avrebbe detto ad Arasmina ? Come avrebbe potuto dirle che suo marito è andato via per sempre ? E le sue sorelle ? Come sarebbero cresciute senza la presenza e la guida di un padre ?.

Paralizzato davanti la porta e fissando il vuoto Aldemir acquista consapevolezza del grande fardello caricato sulle sue fragili spalle dal padre. Si volta a guardarlo per un'ultima volta sperando in un suo ripensamento, invece incurante Almir continua a camminare verso la grande salita fino alla strada principale.

Lampione dopo lampione osserva l'ombra del padre scomparire nel buio della notte avvertendo dentro di se un senso di abbandono e frustrazione profonda. " Forse è colpa mia ! Avrei dovuto aiutare la famiglia trovando un piccolo lavoretto così papà avrebbe potuto avere più soldi per lui ! " pensa in lacrime Aldemir guardando in basso ed osservando le lacrime bagnare i suoi piedi. Un immediato senso di vuoto e di rimpianto lo assale. " Mio padre non vale le mie lacrime ! " Pensa con rabbia asciugandosi gli occhi.

Un bambino abbandonato e ferito si ritrova solo davanti una vera e propria montagna ed anche se il suo disorientamento è grande capisce immediatamente di dovere affrontare la realtà e trovare una soluzione a questo disastro. Non ha tempo di piangere e di compatirsi perché sua madre e le sue sorelle ora hanno bisogno di lui più che mai. Davanti la porta Aldemir tira un grande sospiro e le sue piccole esili gambe tremano. Entrando in casa cerca di evitare lo sguardo di sua madre. Avrebbe affrontato la cosa il giorno dopo con calma. A lui serve del tempo per elaborare un piano, inoltre vuole che Arasmina passi una ultima notte tranquilla prima della bufera. Almir per anni l'aveva ricattata con questa arma e lei era sempre stata remissiva per il bene dei suoi figli subendo molto spesso da parte di lui perfino angherie ingiustificate.

" Tuo padre è andato via per sempre, vero ? " Domanda lei con voce flebile seduta intorno al tavolo bevendo una tazza di thè. Aldemir non ha il coraggio di rispondere. La fissa negli occhi ed avvicinandosi lentamente la abbraccia in silenzio. Arasmina lo accarezza dolcemente piangendo lacrime silenziose condividendo con suo figlio tutto il suo dolore. " Per favore mamma non piangere ! " Esclama Aldemir con un filo di voce. Ogni lacrima di Arasmina è per lui come un granello di sale in una ferita. " Non abbiamo bisogno di lui ! Non ha fatto altro che farci vivere nell'inferno. Domani inizia una vita nuova per tutti noi. Non preoccuparti Aldemir, in qualche modo faremo. Dio ci aiuterà ! "

Dichiara lei con fede cercando di rassicurarlo. Lui la guarda, e teneramente pensa alle sue parole provenienti da un cuore amareggiato ed espresse al solo scopo di preservare un piccolo bambino da un dolore così grande.

" Si mamma. Ce la faremo ! " risponde lui abbracciando sua madre come non aveva mai fatto in vita sua. L'odore di lei ed il calore del suo abbraccio infondono in lui un senso momentaneo di serenità e sollievo. " Vi proteggerò per sempre ! Questa è una promessa ! " Dichiara il piccolo Aldemir con voce roca. Arasmina accenna un sorriso. " Ora va a dormire e non dire nulla alle tue sorelle. Teniamole allo sicuro per un pò, poi decideremo cosa fare insieme ! " Replica lei continuando a sorseggiare il suo thè.

Dalle Parole di sua madre Aldemir capisce che la sua infanzia così come l'aveva vissuta fino a quel momento è finita per sempre ed annuendo in silenzio si reca in camera dove Alda ed Adriana, per nulla preoccupate, stanno giocando provandosi gli abiti di Arasmina. " Cosa succede ? La solita litigata giusto ? " Domanda Adriana indossando le scarpe della madre per accingersi a sfilare su una passerella immaginaria. " Va tutto bene non preoccupatevi ora andiamo a letto mamma è stanca cerchiamo di farla riposare ! " Risponde Aldemir raggiungendo il letto, e come un sacco pesante, si lascia cadere schiacciato dalla sua angoscia.

La notte sembra inghiottire Aldemir. Sdraiato sul suo letto fissa la finestra insonne. Il buio della camera lo avvolge e le ombre nere dell'oscurità lo torturano. Mille voci si affollano nella sua mente angosciandolo al punto tale da avvertire una forte pressione al cuore fino a togliergli il respiro. La sua mente va alle parole di Almir. " Tu sei l'uomo di casa ora ! ". Parole crude e pesanti continuano a rimbombare nelle sue orecchie come un tamburo cancellando in un attimo ogni pensiero positivo ed ogni suo sogno. Cosa avrebbe fatto il giorno dopo ? Come avrebbe potuto essere uomo e provvedere alle sue sorelle ed a sua madre ? Sicuramente avrebbe dovuto lasciare la scuola e trovare un lavoro, cosa che aveva pianificato di fare nel momento in cui aveva visto scomparire Almir alla fine della salita.

Le prime luci dell'alba diradano le tenebre ma non riescono a diradare il profondo dolore di Aldemir, il quale, dopo una notte insonne sembra non trovare ancora conforto. Non avrebbe mai più potuto dire la parola " Papà " attribuendogli lo stesso significato di prima. Certo avrebbe rivisto Almir in occasione dei loro compleanni o di qualche festa particolar ma non sarebbe stata la stessa cosa. Qualcosa dentro di lui si è spezzato. Non avrebbe più potuto contare sull'aiuto di Almir se avesse avuto problemi con la prima ragazza, o se avesse avuto bisogno di un consiglio. È solo, e lui ne è ben consapevole. L'unica prospettiva che ha davanti è crescere in fretta per non essere schiacciato dalla vita.

La luce del sole illumina il viso di Adriana. Lei dorme tranquilla nel suo letto. Nel guardarla improvvisamente la rabbia di Aldemir e tutte le emozioni accumulate durante la notte esplodono in un solo istante prendendo pieno possesso della sua mente. " Sono solo un bambino perché dovrei occuparmi di loro ? ". Spaventato dai suoi stessi pensieri cerca reagire scacciandoli via con le poche forze rimaste nel suo fragile corpo. Questa battaglia interna viene immediatamente interrotta da un forte rumore in cucina.

Aldemir si alza dal letto con il cuore in gola ed aprendo frettolosamente la porta corre verso la cucina. " Forse papà è rientrato .. lo sapevo ! Non poteva lasciarci in questo modo ! " Pensa con un viso sorridente pronto ad abbracciarlo e perdonarlo. La sua espressione però muta quando voltatosi leggermente verso la finestra vede il corpo di Arasmina chinato a terra esanime. " Mamma cosa succede ? " Domanda spaventato. Lei è svenuta e non da segni di vita. Un evidente livido è visibile sulla sua fronte. In preda ad una delle sue ricorrenti crisi Arasmina ha battuto la testa così forte contro il lavabo di ceramica tanto da svenire. Aldemir cerca di rianimarla controllando i battiti del polso e la sua respirazione apparentemente regolare. È incredibile come riesca a mantenere la calma senza farsi trascinare dal panico. Con un grande autocontrollo al pari di un medico professionista prende un cuscino per adagiarlo sotto la testa di sua madre. Poi si sdraia accanto a lei in posizione fetale poggiando la sua testa sul ventre di Arasmina ed avvolge le braccia di sua madre intorno a lui come se fosse una coperta, infine esausto si addormenta sul pavimento accanto a lei condividendo il suo dolore e la sua solitudine.

" Aldemir, Aldemir " sente improvvisamente chiamare. Adriana lo scuote leggermente per svegliarlo dopo avere ripetuto il suo nome molte volte. " Aldemir, cosa succede ? Perché tu e mamma siete sul pavimento ? " domanda lei preoccupata. " Non succede nulla. Mamma ha battuto la testa contro il lavabo ed io sono restato qui per vegliarla e nell'attesa che lei riprendesse i sensi mi sono addormentato ! " Risponde lui visibilmente assonnato. " Proviamo a svegliare mamma ? " Domanda lei alzando gli occhi verso il cielo sbuffando vistosamente. " Si certo ! " Replica Aldemir rialzandosi dal pavimento duro e freddo. " Mamma.. Mamma " tenta di destare lui sua madre quasi sottovoce come se non volesse disturbarla dal suo sonno evitandole così di affrontare il primo giorno di una vita ancora più tribolata di quella vissuta fino ad ora.

" Ragazzi cosa fate qui ? " Domanda Arasmina tenendo forte la testa tra le mani " Mamma sei svenuta ed Aldemir ha vegliato su di te tutta la notte ! " Risponde

Adriana. Arasmina ascoltando la figlia si arrampica al lavello ed apre l'acqua per lavarsi il viso tumido ed escoriato. " Grazie Aldemir ! " Ringrazia lei con il viso ancora bagnato ed un espressione totalmente assente trascinando i suoi piedi fino a dirigersi lentamente verso la sua camera da letto. Adriana osserva Arasmina meravigliata cambiando colore in viso quando lei nell'andare in camera afferra il bric con il thè e chiude la porta violentemente come se volesse lasciare fuori dal suo mondo quel momento fatto di dolore e rabbia.

" Cosa succede ? Aldemir ? Parla !" Esclama Adriana impietrita. " E va bene ! Papà è andato via ieri sera e questa volta non tornerà ! " Risponde Aldemir guardando Adriana con fare preoccupato per la sua reazione. Gli occhi di lei rimangono impassibili ad una notizia così devastante come se quelle parole non le appartenessero affatto. Nel cuor suo Adriana è consapevole da tempo che prima o poi Almir li avrebbe lasciati per sempre. " Adesso dobbiamo aiutare mamma ! ". Queste sono le prime parole uscite dalla bocca di lei. Anche Adriana così come suo fratello la sera precedente, in un attimo si è trasformata in una donna matura avvertendo il suo stesso senso di responsabilità.

" Io mamma e le mie sorelle siamo una famiglia e come una famiglia porteremo i pesi gli uni degli altri. Nessuno di noi sarà lasciato solo e soffrirà mai la fame ! ". Questo pensiero rincuora Aldemir aiutandolo a riacquistare la lucidità perduta durante la tempesta dell'abbandono di Almir. " Si lo so. Andrò a scuola e troverò un lavoro part-time da qualche parte per aiutare ! " Dichiara lui preoccupato ma anche fiero della sua idea. " Neanche per sogno ! Tu andrai a scuola ed avrai una istruzione così come le tue sorelle ! Voi non pagherete per le colpe di vostro padre né per le mie ! Io sono vostra madre ed io stessa provvederò a voi. Ora smettetela di preoccuparvi ! Andate a dormire. È ancora troppo presto per la colazione ! " Esclama autorevolmente Arasmina uscita dalla camera a loro insaputa per bere un bicchiere di acqua.

Aldemir la guarda. In quel momento vede un aspetto di sua madre mai visto fino ad allora. Una donna fragile e cagionevole di salute come lei ad un tratto si trasforma in una guerriera decisa a lottare per i propri figli e la propria famiglia. In qualche modo le parole di Arasmina risollevano lo spirito abbattuto di Aldemir e di sua sorella tanto da recarsi in camera così come da lei comandato senza però prima averla abbracciata forte.

Il tempo passa ed Aldemir quasi undicenne continua gli studi così come pianificato da Arasmina. A scuola non è l'unico ragazzino abbandonato dal padre. Tanti ragazzi come lui vivono questa stessa situazione di disagio non compresa da chi invece vive in una famiglia con entrambe i genitori. Aldemir sente crescere la sua rabbia per l'abbandono di suo padre giorno dopo giorno soprattutto quando alla consegna delle pagelle entrambe i genitori devono necessariamente essere presenti per parlare con tutti gli insegnanti. " Guardali i figli di papà sapessi quanto li odio così perfetti ed accompagnati dai loro genitori ! " Esclama ad alta voce Aldemir parlando con il suo migliore amico Daniele.

Daniele un ragazzo alto con la pelle chiara capelli lisci ed un luminoso sorriso ha la stessa età di Aldemir. Lui è figlio della migliore amica di Arasmina. Da quando si sono trasferiti nelle Favelas, Daniele si è sempre preso cura a modo suo di Aldemir. Anche lui figlio di una famiglia modesta con un padre lavoratore ed una madre a tempo pieno. Durante l'assenza di Arasmina a causa del suo lavoro, la mamma di Daniele si cura di Aldemir e le sue sorelle, tanto che Daniele considera Aldemir come il fratello che non ha.

" Dai smettila di dire così. Cosa hanno fatto di male quei ragazzi ? " Domanda Daniele strattonando Aldemir per un braccio con lo scopo di allontanarlo. " Non vedi come mi guardano ? Si prendono gioco di me perché mia madre è sola e non ho un padre ! " Risponde lui arrabbiato divincolandosi dal braccio di Daniele. " Me la pagheranno tutti ! " Dichiara Aldemir guardando i ragazzi entrare nella scuola con i loro genitori. " Non è vero ! " Replica prontamente Daniele trattenendo Aldemir per la maglia, il quale con un balzo felino riesce a divincolarsi e correre velocemente verso la strada. " Aldemir fermati ! ". Urla Daniele tentando di raggiungerlo oramai senza fiato.

Aldemir è velocissimo nonostante sia nato con una gamba più corta dell'altra e zoppichi vistosamente. I suoi allenamenti per diventare un calciatore professionista hanno donato ad Aldemir un fiato eccezionale che gli permette di correre velocemente per molti metri senza stancarsi. " Aldemir .. Aldemir ! " Continua ad urlare l'ormai esausto Daniele mentre lui si allontana fino a diventare irraggiungibile perfino alla sua voce. Ultimamente Aldemir si arrabbia spesso e per questo motivo avverte il bisogno di isolarsi per sfogare la sua rabbia senza gravi conseguenze. Casualmente tempo addietro ha scoperto una casa abbondonata e l'ha consacrata il suo rifugio. Il " Rifugio " di Aldemir si trova in un quartiere frequentato da tipi loschi. In genere quella casa è meta agognata di ragazzi affamati di " Bella vita " come li chiama la gente del quartiere. Ragazzi lasciati alla libertà della strada dai loro genitori troppo presto.

Aldemir se ne sta seduto nel cortile della casa imbronciato fissando il vuoto. Vorrebbe piangere ma il dolore è troppo forte per lasciare andare via le lacrime. Dopo poco più di un anno ancora rivede gli occhi gelidi di Almir tutte le notti. Le sue parole lo svegliano dal sonno sempre nello stesso orario come un orologio pronto a scoccare l'ora malvagia ogni volta. " Cosa ho che non va ? Perché mio padre non mi ama ? " Aldemir si domanda seduto sulla grande pietra al centro del giardino incolto. " E' colpa mia se lui è andato via ! Avrei dovuto renderlo fiero di me ! " Continua a ripetersi " Perché mi hai abbandonato come un cane sul ciglio della strada ? " Urla improvvisamente ad alta voce chinandosi per raccogliere una pietra per poi lanciarla nel burrone con violenza.

" Sei un ragazzino piagnucolone e patetico ! " Esclama un ragazzo che a sua insaputa lo ascoltava in silenzio alle sue spalle. Spaventato Aldemir si volta e vede un ragazzo un po' più grande della sua età. Un giovanetto alto con i capelli ricci e neri ed occhi blue come il cielo con una strana pronuncia. " Che vuoi ? Lasciami in pace ! " Esclama Aldemir a voce alta alzandosi in piedi infuriato. " Ho ascoltato il tuo piagnucolare. La mia sorellina è meno capricciosa di te. CRESCI ! Tuo padre ti ha abbandonato ? Non vedo la tragedia ! Anche il mio lo ha fatto ! Questo non è un buon motivo per sedersi su una pietra e piangere come un bambino. Reagisci da uomo ! " Replica il ragazzo con aria provocatoria. I suoi modi spavaldi in opposto a quelli gentili del suo migliore amico Daniele attirano Aldemir immediatamente, il quale, riceve dalle parole di quel ragazzo una strana misteriosa forza interiore. " Come ti chiami ? " Domanda Aldemir arricciando le sopracciglia come per intimidirlo. " Mi chiamo Pablo e tu ? " risponde lui osservando Aldemir dalla testa ai piedi.

Aldmir come un furetto balza ritto sulla pietra e fissando

Pablo negli occhi con aria di sfida replica " Il mio nome è Aldemir Santos ! Chiamami di nuovo piagniucolone e vedrai cosa ti succede ! ". Il tono di Aldemir è tenace e deciso come se avesse appena lanciato un guanto di sfida all'ultimo sangue. " Calmati, stavo solo scherzando ! Ero curioso di sapere perché sei così arrabbiato. A guardarti sembra che qualcuno ti abbia appena pestato i piedi ! " Replica Pablo sorridendo.

Aldemir scende dalla pietra con un saltello e dando un calcio ad una delle pietre nel giardino si reca verso l'uscita " Non sono affari tuoi ! " risponde in malo modo allontanandosi. Nel dirigersi verso l'uscita Aldemir avverte una strana sensazione. Le provocazioni di Pablo hanno smosso in lui qualcosa come se dentro di sè avesse aperto un canale per sfogare tutta la sua rabbia repressa. Nel raggiungere il cancelletto di uscita Aldemir cammina lentamente sperando in un invito di Pablo a restare ancora un pò.

" Aspetta " lo chiama Pablo improvvisamente. Aldemir si ferma prontamente. " Cosa vuoi ancora ? " risponde con tono deciso voltandosi per guardarlo negli occhi. " Se hai problemi con qualcuno posso aiutarti ! " Esclama clamorosamente Pablo sorridendo. " Chissà cosa avrà in mente ! " Pensa in cuor suo Aldemir indietreggiando fino a raggiungerlo presso l'entrata della casa abbandonata. " In che modo ? " Domanda lui incuriosito mentre osserva Pablo sedersi sulla stessa pietra dove qualche minuto fa era seduto lui. " Dipende .. Cosa ti serve ? " Domanda Pablo pulendosi le unghie con un piccolo coltellino da salame. " Voglio dare una lezione ai figli di papà della mia scuola ! " Dichiara Aldemir con rabbia e senza esitare. Pablo annuisce sorridendo " Allora posso aiutarti, ho quello che fa per te ! Seguimi ! " Replica lui alzandosi di scatto dalla pietra con aria accattivante.

Come un agnello diretto verso il macello Aldmir segue Pablo all'interno della casa. Prima di allora non era mai entrato in quella baracca. L'odore è acre e l'aria è densa ed il calore soffocante. Carte ed immondizia sono sparse dovunque. In alcuni angoli della casa sono posizionati dei materassi avvolti da buste di plastica unte e bisunte. Accanto ai materassi alcune bottiglie di acqua semivuote e cartoni di pizza aperti dai quali si intravedono pezzi di pizza mordicchiati e rancidi. La sporcizia è dovunque. Lì dove sarebbero dovuti essere i bagni c'è uno sgabuzzino sporco, pieno di muffa e maleodorante. La puzza è vomitevole. Le pareti lerce di sangue secco e residui di cibo avariato la rende più insopportabile.

" Dimmi di cosa hai bisogno. Ho tutto ! Armi, bastoni, coltelli, droga ! ". Le parole di Pablo squarciano la mente di Aldemir come un fulmine a ciel sereno. " Perché mi trovo qui ? Se mia madre mi vedesse ora ne morirebbe ! Devo assolutamente andare via ! ". Per la prima volta nella sua vita Aldemir sente due forze nettamente in contrasto dilaniare la sua anima e la sua mente. È combattuto tra i giusti consigli di Arasmina e la rabbia regalatagli da Almir quando è andato via abbandonandolo da solo in mezzo alla strada. Aldemir si limita a fissare sbigottito tutta la merce in bella mostra ascoltando attentamente la descrizione, le caratteristiche ed il prezzo elencati da Pablo.

Scorrendo velocemente la merce Aldemir nota dei fuochi di artificio e tutto ad un tratto una idea balena nella sua mente. " Quanto per i fuochi di artificio ? " Domanda curioso pianificando l'impossibile. " Hai un compleanno da festeggiare ? " Domanda Pablo ridendo ad alta voce. " No. È mia intenzione far saltare i bagni degli uomini a scuola ! " Risponde Aldemir con sguardo serio ed una voce decisa. Pablo lo guarda sbigottito. Lui non ha mai pensato ad un simile uso dei fuochi di artificio ed osservando Aldemir riconosce in lui una specie di genio della criminalità.

Aldemir dal suo canto osserva attentamente Pablo e legge nei suoi occhi una profonda forma di rispetto. Un barlume di piacere ed un profondo senso di potere si affacciano nella sua vita e per la prima volta ed Aldemir avverte come una liberazione realizzando in fondo al suo cuore di essere attirato dal male molto più che dal bene.

" Te li regalo ! Ne puoi prendere 3 ! " Replica Pablo sfidandolo di nuovo per osservare la sua reazione. Aldemir sente uno strano brivido di piacere scendere lungo la schiena. Quasi tremante si avvicina ai petardi prendendone 3 belli grandi così come autorizzato da Pablo. " Grazie " Risponde spavaldamente riponendo i petardi in tasca per poi andare via immediatamente. " Hey Aldemir ! " Urla Pablo rincorrendolo lungo il fedito corridoio. " Che vuoi ancora ? " Domanda lui scocciato. " Mi chiedevo. Se vuoi posso darti un lavoro. Guadagno molti soldi ed ho bisogno di un socio che sia alla mia altezza ! ".

Aldemir viene attratto immediatamente dalla proposta di

Pablo ma una forza lo spinge a rifiutare con un secco " NO ! " detto ad alta voce ed autorevolmente. " Ok ! Ad ogni modo se hai dei ripensamenti sai dove trovarmi ! Sono sicuro di rivederti presto ! " Replica Pablo ridendo forte. " Non credo ! " E' la risposta di Aldemir continuando a combattere una battaglia interna fatta di soddisfazione per aver attirato l'attenzione di un leader capo banda ed il rimorso di aver preso quei petardi con l'intenzione di creare dei guai.

Lungo il tragitto tra la casa diroccata e la sua casa, lui rimugina sul suo comportamento errato. " Non voglio essere come mio padre ! " Esclama improvvisamente ad alta voce continuando a stringere forte tra le mani i petardi appena ricevuti. " Aldemir, Aldemir ! " Urla Adriana appena lo vede spuntare dal fondo della strada. " Aldemir finalmente ! " Continua ad urlare mentre gli corre incontro. " La smetti di urlare ? Cosa vuoi ? " Domanda lui infastidito dall'esuberanza di Adriana, la quale inconsapevolmente è seguita da una piccola Alda ancora più agitata di lei. " Siete impazzite ? Si può sapere cosa succede ? " Domanda Aldemir appena le sorelle si avvicinano a lui stanche ed affannate dalla corsa. " Papà ha spedito dei soldi ! Dei soldi per comprare il cibo capisci ? Mamma ha detto che stasera possiamo comprare la pizza ! " Esclama Alda con i suoi soliti occhi vispi e sorridenti.

Tutto ad un tratto Aldemir si sente piccolo piccolo. Per un attimo si è catapultato in una realtà che non gli appartiene. Solo in quel momento parlando con le sue sorelle avvete la stabilità e buon senno rientrare in lui. " Ottimo ! Allora cosa stiamo aspettando ? Andiamo a comprarla ! " Esclama sorridente recandosi al forno tutti e tre. Nel dirigersi verso il forno Arasmina veglia sui ragazzi da lontano. Li guarda mentre tutti e tre si dirigono felici verso la pizzeria. " Se bastasse un pezzo di pizza per essere felici la comprerei tutti i giorni ! " Dichiara Arasmina a bassa voce guardando i ragazzi mangiare affamati e felici.

" Aldemir tutto ok ? " Domanda Daniele anche lui in fila per mangiare la pizza. " Dove sei stato tutto il pomeriggio ? " Continua a domandare curiosamente. " In un posto da grandi. Forse un giorno o l'altro andremo lì insieme. Ma non stasera. Oggi mangiamo la pizza ! " Replica lui addentando il suo pezzo voracemente. " E' passata la sete di vendetta ? " Domanda scherzosamente Daniele sorridendo. " Per il momento si ! " Replica

Aldemir ridendo forte a sua volta. Aldemir, Daniele e le sorelle si trattengono davanti la pizzeria giocando e scherzando alla luce dei lampioni fino a quando non odono la voce di Arasmina chiamare tutti per ritornare a casa.

Aldemir messo da parte tutto il rancore per i figli di papà visti il giorno precedente ed alzatosi di buon'ora per consumare la sua colazione, si reca da Daniele per andare a scuola. Oggi indossa una maglietta gialla ed un pantaloncino nero assumendo così le sembianze di una piccola e tenera ape. " Dai entriamo ! " Esclama Daniele incoraggiando Aldemir, il quale titubante aspetta ancora davanti la porta per qualche minuto con l'intento di marinare la scuola. Entrati in classe Aldemir si siede al suo solito posto ma durante la lezione di matematica è distratto più del solito dal gioco chiassoso di alcuni bulli davanti la scuola a pochi passi dalla sua finestra. Questi ragazzi a parere di Aldemir vivono la loro vita liberi dalle catene della scuola e della famiglia godendosi la vita bighellonando tutto il giorno per le strade e racimolando soldi dai turisti per comprare del cibo. Le parole di Pablo " Sono sicuro di rivederti presto " Martellano incessantemente la mente di Aldemir, il quale cerca di scacciare questi malsani pensieri concentrandosi su sua madre e le sue sorelle.

" Aldemir Santos ? Di cosa stiamo parlando ? " Domanda improvvisamente il professore di matematica facendo balzare Aldemir sulla sua piccola sedia. Lui guarda velocemente la lavagna ma non riesce a percepire nulla dalle scritte riguardante l'argomento affrontato, così preferisce stare in silenzio evitando di sbagliare risposta.

" Da stamattina sei intento a guardare fuori dalla finestra invece di ascoltare la lezione. Se ti annoia tanto stare in aula vai in bagno e restaci per tutto il tempo della lezione ! " Esclama con voce secca ed autoritaria il professore. Daniele si volta per un istante verso Aldemir, lui conosce bene il suo amico e sa che non avrebbe sopportato una pubblica umiliazione davanti tutti i suoi compagni di classe senza reagire. Nell'alzarsi Aldemir cerca di trattenere la sua rabbia stringendo i pugni. Alcuni dei suoi compagni di classe sogghignano guardando uscire Aldemir a testa bassa dall'aula.

Davanti la porta Aldemir lancia uno sguardo di sfida al professore. " Non è stata una bella idea da parte tua mandarmi in bagno come punizione ! " Esclama sottovoce a denti stretti aprendo la porta per uscire. Nel corridoio Aldemir cerca di elaborare velocemente un piano per scappare via da tutta quella ingiustificata umiliazione. Guarda il portone di ingresso pensando di poter sgattaiolare fuori da lì e marinare le ultime ore di scuola, ma purtroppo il bidello come sempre, è seduto alla sua scrivania posizionata giusto all'entrata della stessa.

È da tutti gli alunni ben risaputo quanto sia lui un guardiano attento e vigile ad ogni persona in entrata ed in uscita. Di per certo se Aldemir avesse tentato di svignarsela lui lo avrebbe fermato e portato di nuovo in classe dove sarebbe stato esposto nuovamente alla pubblica gogna. Così sospirando si dirige verso il bagno degli uomini. Scocciato apre la porta con un calcio " UFFA ! " Esclama innervosito mettendo le mani in tasca. In quel momento si rende onto di avere ancora i tre petardi donati da Pablo, ed ecco il ricominciare nella sua mente la lotta tra bene e male. Cosa fare ? Dare una lezione ai professori oppure fare il bravo ragazzo così come Arasmina gli ha sempre raccomandato ?

I visi dei suoi compagni di classe sono ben visibili nella sua mente ad uno ad uno. Lui li vede ridere e sente nelle sue orecchie ancora chiare le loro parole di disprezzo. Solo perché lui come pochi è un ragazzo intelligente ma iperattivo e non riesce ad essere attento per un lungo periodo di tempo questo non significa che non sia in grado di apprendere e portare buoni risultati imparando. Nell' auto giustificarsi ed accusare i suoi amici di incomprensione e bullismo la sua rabbia prende il sopravvento così Aldemir, giunto in bagno come ordinato dal professore svuota interamente i petardi per formarne uno solo con maggiore potenza esplosiva.

Dopo aver creato un pedardo abbastanza potente da poter far saltare in aria tutto, lo accende in un water provocando un rumore così forte da far tremare tutti i vetri della scuola. L'acqua del water fuoriesce immediatamente zampillando come una sorgente impura per poi riversarsi interamente sul pavimento. Aldemir impietrito ed incredulo di quanto sia stato potuto capace di crare con tre semplici petardi, continua a contemplare confuso il suo capolavoro fino a quando non viene strattonato violentemente. " Piccolo teppista cosa hai combinato ? Ora tua madre ripagherà il danno alla scuola interamente così impari ! " Urla il bidello trascinarndo Aldemir fino a davanti la porta della presidenza pronto a raccontare il misfatto appena avvenuto. " Non sono stato io ! Quando sono entrato era già tutto così ! " Si giustifica prontamente Aldemir pur essendo stato preso con le mani nel sacco.

Seduto sulla sedia davanti la presidenza e guardato a vista dal bidello, Aldemir cerca di trovare dentro di lui almeno un briciolo di rimorso per i danni appena causati. " Li meritavano tutti ! Così imparano a trattarmi male ! Nessuno può mancarmi di rispetto ! " Continua a pensare tra sé vedendo arrivare tutti i suoi compagni di classe accompagnati da genitori furiosi percorrere il corridoio in fretta. Dietro di loro Aldemir intravede al suo incubo peggiore, Almir, correre nel corridoio come una furia. Lui non voleva affrontare il padre. Sapeva bene che ogni volta combinasse qualche marachella eclatante Almir spuntava dal nulla solo per il gusto di punirlo. " Cosa hai combinato stavolta ? Ho dovuto lasciare il lavoro per recarmi di corsa a scuola ! Teppista ! Cosa ti ho sempre detto ? Questa è l'educazione di tua madre ? " Esclama Almir furioso scuotendo forte Aldemir per le braccia.

" Basta con tutto questo chiasso entrate ! " Urla il preside della scuola aprendo bruscamente la porta. Alcuni compagni di classe di Aldemir seduti in lacrime guardano terrorizzati i propri genitori timorosi di essere accusati di una colpa non commessa. Aldemir infastidito dalla presenza del padre prende posto accanto agli altri. " Allora chi di voi ha combinato questo disastro nel bagno degli uomini ? " Domanda il preside urlando. Nessuno ha il coraggio di parlare. Se loro avessero accusato Aldemir sarebbero di sicuro stati oggetti della sua successiva spietata vendetta, il che sarebbe stato di gran lunga peggiore di qualsiasi punizione i genitori avrebbero mai potuto impartire loro.

" Posso prendere la parola ? " Interviene il bidello con aria provocatoria accendendo ancora di più gli animi. Aldemir lo guarda in malo modo. In questo momento lui ha un unico problema. Elaborare velocemente una scusa plausibile per smentire la storia del bidello. " Parla pure ! " Esclama il preside guardando Aldemir in cagnesco. L'evidenza dei fatti dimostra un precedente accordo tra i due per cui tutto il teatrino da loro inscenato ha un unico scopo, umiliare ulteriormente Aldemir per far si che il padre gli impartisse una punizione esemplare. " Al momento dello scoppio ho trovato Aldemir Santos in bagno.. ed era solo ! " Esclama il bidello additando Aldemir. Lui guardando in alto con aria innocente e piedi a pensoloni cerca di non far trasparire la propria colpevolezza.

Almir non pensa neanche per un istante di chiedere ad Aldemir quale sia la verità ed avvicinandosi a lui lo pizzica cinicamente per poi sussurrare al suo orecchio " faremo i conti a casa " Esclama con una voce appena percettibile. Il preside si avvicina ad Aldemir e lo guarda dall'alto in basso infuriato. " Cosa hai da dire a tua discolpa ? " Domanda in modo aggressivo. Ci vuole molto coraggio ad affrontare un bidello accusatore, un preside arrabbiato, compagni di classe con sguardo quasi omicida, e sopra ogni cosa un padre con un grande problema di rabbia compulsiva. Aldemir è già rassegnato. Comunque sarebbero andate le cose sarebbe stato punito e non poco per il misfatto. Tanto vale confessare la colpa. Questo avrebbe fatto accrescere la sua popolarità come bullo ed avrebbe guadagnato il rispetto di tutti i suoi compagni di classe. Chissà, forse qualcuno di loro avrebbe fatto parte della sua personale banda un giorno. " Sono stato io ! L'ho fatto perché il professore mi ha umiliato davanti a tutti ! " Esclama Aldemir guardando diritto negli occhi del preside con aria provocatoria.

" Per il tuo gesto sarai espulso da questa scuola a partire da ora ! " Dichiara il preside urlando. Ad Aldemir sembra non interessare la punizione del preside fino a quando Almir non prende la parola. " Signor preside, non può buttare fuori mio figlio da scuola, tutti hanno diritto ad una istruzione. Pagherò io il danno Le parole di Almir illudono Aldemir, che per qualche istante pensa di avere un padre amorevole, così per un attimo si sente in colpa verso di lui. " Forse mio padre non mi odia così tanto.. forse .. se è andato via .. non è stato per colpa mia ! " pensa tra se Aldemir. " E sia ! Ma Aldemir sarà comunque in punizione. Tutti i giorni sarà confinato in cortile da solo almeno un'ora per riflettere sul danno che ha causato alla scuola ! Non voglio che un elemento del genere rovini tutta la classe, la mia scuola e la mia reputazione ! " Esclama il preside strattonando Aldemir per la maglietta. Aperta la porta della presidenza, Almir prende per il braccio Aldemir e lo trascina fino a casa. Nel corridioio della scuola i ragazzi delle altre classi incuriositi dal chiasso, guardano la scena dalla piccola finestra in alto della porta mentre Aldemir cammina a testa bassa coperto di vergogna e di insulti dal padre.

Arasmina è a casa. È rientrata prima dal lavoro a causa

di una forte ed incotrollabile tosse che da un po' la perseguita. Ultimamente non riesce a digerire bene e, sempre più spesso, le capita di tossire sangue. Vorrebbe andare dal medico ma non ha abbastanza soldi in quanto tutto il suo salario le serve per i ragazzi e per pagare le spese della casa. Mentre è ai fornelli ode da lontano la voce di Almir. La piccola Alda seduta accanto al tavolo corre verso la porta di entrata. " PAPA' ! " Esclama correndo incontro ad Almir con le sue piccole braccine aperte. Almir a stento le carezza il capo. Adriana esce dalla camera " Papà ? " Domanda stupita nel vedere Almir di nuovo a casa. Arasmina guarda Almir e riesce a leggere tutto il suo furore ben scritto in viso. Aldemir è accanto a lui sempre a testa bassa tenuto violentemente da lui per un braccio.

" Cosa vuoi ? Perché sei qui ? " Domanda lei osservando Aldemir scompigliato ed in lacrime. " Donna così cresci tuo figlio ?

Oggi a scuola ha combinato un macello ! Per poco non la faceva crollare ! " Urla ad alta voce Almir aggredendo Arasmina. " Lascia il ragazzo e vattene ! " Esclama lei con calma prendendo Aldemir per un braccio. " No! Il ragazzo deve essere punito ! " Replica lui strattonando Aldemir fino in camera dove ha intenzione di impartirgli una sonora punizione fatta di botte, calci e pugni.

" Tu non toccherai mio figlio ! " Esclama Arasmina con la stessa determinazione di una leonessa quando difende il proprio cucciolo. " Io sono suo padre ! " Replica lui avvicinandosi ad Arasmina con fare minaccioso " Hai perso questo diritto nel giorno in cui hai oltrepassato quella porta per lasciarci da soli. Ora vattene prima che chiami i vicini ad aiutarmi ! " Risponde Arasmina con calma. Le urla di Almir allarmano il quartiere e molti dei vicini preoccupati si affacciano a vedere il perché di tutto questo trambusto.

Il suono del campanello alla porta spezza gli animi calmando tutti improvvisamente. " Arasmina tutto ok ? " Domanda preoccupato Miguel, il padre di Daniele. Lui era presente durante la discussione in presidenza e conoscendo la rabbia incontrollata di Almir verso tutto e tutti si era immediatamente precipitato a casa cercando di evitare ad Aldemir una punizione oltremodo severa.

" Si tutto bene. Almir stava andando via. Giusto ? " Domanda Arasmina guardando Almir dritto negli occhi senza indietreggiare di un passo. Da quando aveva di nuovo il controllo della sua vita Arasmina era diventata coraggiosa fino a non aver più paura di nulla. L'abbandono con tre figli da parte di Almir l'aveva temprata più di quanto lei potesse mai immaginare. " Si .. vado via.. Ma tu ricordati se capita di nuovo non te la caverai con così poco ! " Esclama Almir minacciando apertamente Aldemir davanti a tutto il vicinato sull'uscio della porta.

Poi fattosi spazio tra la folla accalcatasi nel piccolo vialotto, di nuovo, sparisce lasciando Aldemir ed Arasmina uno accanto all'altra. Solo in quel momento guardando Arasmina, Aldemir realizza il suo gesto avventato ed osservando il volto afflitto di lei prova un profondo rimorso.

Questa è una vera e propria coltellata al cuore di Aldemir. " Come devo fare con te ? " Domanda la donna guardandolo con aria mesta. Alle parole di sua madre Aldemir sente la sua rabbia trasformarsi in dolore. Lui non avrebbe mai voluto che Arasmina pagasse per le sue azioni. " In fondo ad 11 anni chi non fa una sciocchezza ? " Pensa tra se cercando di zittire il senso di colpa accusatorio. Arasmina si siede accanto al tavolo della cucina ed in preda ad uno dei suoi forti attacchi di stomaco si piega su se stessa trattenendo il suo addome con due mani. " Arasmina come stai ? " Domanda Miguel mentre lei cambia colore in viso diventando di un anomalo pallore. " Mamma cosa succede ? " Domanda spaventato Aldemir correndo a soccorrerla.

Arasmina contrae il volto e tossisce forte nel suo fazzoletto un paio di volte respirando a fatica. Cercando di farsi coraggio per non spaventare ulteriormente Aldemir. Lei accenna un sorriso mentre Miguel preoccupato, le porge un bicchiere d'acqua. È solo in quel momento, stringendo il suo fazzoletto tra le mani, Arasmina si rende conto che le macchie di sangue vivo lo hanno interamente inzuppato. Le sue mani iniziano a tremare e per nascondere la paura esclama " Grazie ! Sto bene ! " Dichiara con voce tremolante alzando il bicchiere per bere un sorso di acqua fresca.

Aldemir prova un tremendo senso di colpa. Sa di aver causato un grave danno ma sopra ogni cosa è consapevole di aver ferito profondamente Arasmina deludendola con il suo comportamento così avventato. In fondo lei ha riposto tutta la sua fiducia in lui per cui ferirla è l'ultima cosa che lui avrebbe voluto fare. Ancora non riesce a capacitarsi del perché abbia dato sfogo alla sua rabbia in quel modo. Sente crescere sempre di più in lui due forze in modo parallelo. La sua anima viene sempre più dilaniata dalla lotta interiore tra bene e male fin dalla sua tenera età. Questa volta ha fatto vincere il male ed ora ne sta pagando le conseguenze imparando però una grande lezione.

Realizzato il suo errore ed il dolore causato da esso, Aldemir promette a se stesso di ritornare sulla retta via imponendosi di non fare mai più qualcosa di sbagliato verso gli altri per poi far soffrire Arasmina e la sua famiglia.

Il tempo passa in fretta ed Arasmina è presa tutto il giorno dal suo doppio lavoro. Aldemir, Adriana ed Alda sono sempre più spesso intrattenuti dalla loro vicina di casa. Aldemir sente crescere silenziosamente ogni giorno in lui il bisogno della presenza di Almir. Suo padre è diventato una assenza costante nei suoi pensieri soprattutto quando di notte avverte il bisogno di abbracciarlo prima di addormentarsi. Pian pianino inizia a crescere dentro di lui una sensazione di disagio e di frustrazione incontrollabile. Il vuoto di Almir crea una voragine in cui spesso Aldemir viene risucchiato tanto da risvegliarsi sudato ed in lacrime durante la notte. Il dolore a volte diventa per lui un tormento giornaliero, una ossessione che tenta di nascondere a tutti ma non a se stesso. M

La vita di Adriana ed Alda procede tranquilla al contrario di quella di Aldemir. Passata la preoccupazione iniziale per Arasmina e la sua tosse anomala sempre più crescente, Aldemir deve fare i conti con la sua quotidianità. Ormai ha perso totalmente interesse per la scuola e si ritrova sempre più spesso da solo, in disparte, nel cortile della stessa aspettando impazientemente l'orario per poter ritornare a casa e spendere tutto il pomeriggio in casa badando alle sue sorelle. Questa vita è diventata troppo stretta per Aldemir che a soli dodici anni, come un uomo adulto ed insoddisfatto, è già in cerca di nuove emozioni da batticuore.

" Hey, perché non sei più venuto ? Ti ho aspettato per giorni ! " Domanda Pablo al di là della recinzione divisoria tra il cortile della scuola e la strada. Aldemir rimane seduto sulla panchina per qualche secondo con fare indifferente. Nell'ascoltare la voce di Pablo il suo cuore vuole balzare fuori dal suo petto. " Allora ? E' questo il modo di ringraziare un amico ? " Insiste nell'urlare Pablo nella direzione di Aldemir.

Il richiamo è forte. Aldemir rivive per un istante la scena straziante di Arasmina mentre tossisce sangue e la conseguente umiliazione da lei subita derivante dal suo comportamento sbagliato. Il livello di combattimento interiore alza il tiro e lui avverte una forza misteriosamente potente trascendere la sua volontà. Aldemir sente di essere imprigionato in una vita a lui imposta dalle circostanze. Una vita fatta di responsabilità tramandatagli dal padre nel momento in cui lo ha lasciato solo con la madre e le sorelle. Non è questa la vita che Aldemir sogna. Lui è convinto di avere uno spirito libero. Troppe volte affacciandosi alla finestra ha visto i ragazzi del quartiere giocare e bighellonare in giro vivendo, come lui dice sempre, la loro età.

Preso da una forza quasi soprannaturale Aldemir decide di mettere da parte tutti i buoni propositi e con la stessa mitezza di un coniglio quando si avvicina alla carota riposta nella trappola, si alza dalla panchina spavaldamente si dirige verso la recinzione. " Ciao Pablo ! ". Saluta lui con aria indifferente. " Finalmente ! Perché perdi tempo in questa scuola ? Noi due potremmo fare grandi cose insieme ! " Afferma lui in modo provocatorio. Aldemir lo guarda al di là della rete di recinzione. C'è una sottile rete a separare la sua vita da quella di Pablo. Aldemir è consapevole di trovare oltre quella recinzione il pericolo e forse anche la morte ma nell'incoscienza dei suoi 12 anni si sente chiamare da quella vita a gran voce.

" Spiegati meglio ! " Replica continuando con il suo fare indifferente aspettando un invito da parte di Pablo per fuggire da scuola in quello stesso momento. " Oggi pomeriggio vieni alla casa diroccata della collina dove ti ho dato i petardi l'ultima volta. Ti aspetto alle 17;00 pm per presentarti tutti i ragazzi. Poi io e te parleremo ! " replica Pablo senza aggiungere ulteriori parole. Aldemir ora ha un'occasione in più per poter liberarsi dalla sua prigione fatta di umiliazione e povertà. " CONTACI ! ". Esclama lui immediatamente annuendo. Al solo pronunciare il suo consenso Aldemir avverte nel cuore immediatamente un rimorso profondo. La mente ritorna ad Arasmina ed a tutte le raccomandazioni di lei quando con amore lo ha sempre avvertito di stare lontano da tipi come Pablo e la sua banda. Tuttavia la sicurezza, la spavalderia ed i modi pirateschi di chi vive fuori le regole come Pablo lo ammaliano. Pablo annuisce e strizzando l'occhio si dirige saltellando verso il negozio di dolci accanto la scuola.

Aldemir ritorna a sedersi sulla panchina impaziente di ascoltare il suono della campanella per andare a casa. Il tempo è così crudele, sceglie se passare velocemente, oppure farti attendere fino allo sfinimento. Aldemir ode le urla dei ragazzi radunati nel corridoio aspettando il suono della agognata campanella. " Aldemir. Aldemir ! Siamo qui ! " Urla Adriana da lontano sobbarcando i rumori della folla di ragazzini scatenati all'uscita della scuola. " Aldemir " Continua lei ad urlare tenendo la mano di Alda dirgendosi verso di lui. Aldemir si alza svogliatamente dalla panchina andando incontro ad entrambe. Qualcosa è cambiato dentro di lui dopo la chiacchierata con Pablo. Nel cuore di Aldemir è già cominciato un distacco da quella che lui giudica " Vecchia Vita ". Nel suo cuore ha già accettato l'invito di Pablo e questo significa per lui prendere le distanze da tutti, specialmente dalla sua famiglia, perché da li a breve la sua vita non sarebbe più appartenuta a se stesso ma alla banda.

Durante il pranzo Aldemir continua a guardare il grande orologio posto sopra la cucina. La sua frenesia aumenta all'avvicinarsi l'orario dell'incontro con Pablo. " Devo uscire. Adriana bada ad Alda ! Se non ritorno prima di mamma ditele che sono a casa di Daniele per studiare matematica. Hai capito ? " Domanda con voce autorevole Aldemir. Adriana lo osserva in strano modo. In tanti anni non lo ha mai visto comportarsi così. " Cosa succede ? " Domanda preoccupata. " Nulla .. a dopo ! " Replica lui uscendo velocemente con fare furtivo. Durante il tragitto da casa sua alla vecchia casa diroccata sulla collina, Aldemir corre come un fulmine. La bramosia e la curiosità gli regalano una energia quasi soprannaturale ed una gioia incontenibile.

Appena arrivato alla casa diroccata Aldemir nota subito un gruppo di ragazzi tutti intenti a guardarlo incuriositi parlando a bassa voce non appena lo vedono arrivare su per la salita. Con fare sicuro lui si avvicina a loro " Conoscete Pablo ? ". Domanda tutt'altro che timidamente. Il più grande del gruppo, un ragazzo di origine italiana, senza parlare scuote il capo indicando la porta di ingresso della casa. Aldemir annuisce e impavido entra per la seconda volta nella stessa casa dove aveva ripromesso a se stesso di non entrare mai più. Entrando in casa avverte di nuovo quell'odore nauseante arrivare fino allo stomaco provocandogli quasi un conato di vomito. " Sarà dunque questo il mio futuro ? ". Si domanda lui camminando tra l'immondizia facendo attenzione alle siringhe lasciate a terra dai drogati dopo una dose elevata.

Aldemir è tentato di andare via. Una parte di lui rifiuta di volersi trasformare in un " ragazzo di strada " Come li chiama Arasmina. Nel corridoio buio e sporco Aldemir ha un improvviso momento di lucidità. " Torna indietro Aldemir se oltrepassi quella porta sarà un punto di non ritorno ! ". Questa voce martellante rimbomba nel suo cervello tanto da farlo quasi impazzire. " Hey.. finalmente sei arrivato ! ". Esclama trionfante Pablo distogliendolo dal suo proposito di lasciar perdere ogni cosa e fuggire via da quel luogo il prima possibile. " Avevi dubbi ? ". Replica lui ridendo cinicamente. " Mi sei piaciuto fin dal primo momento. Tu hai la stoffa per diventare un grande al mio pari. Vieni .. Entra ti presento i ragazzi ! " Replica soddisfatto Pablo accompagnando Aldemir nella loro soprannominata " Sala riunioni ".

La stanza dove Aldemir entra non ha niente a che fare con una sala riunioni tradizionale. Lui si ritrova in una stanza unta con un tavolo al centro e sedie semi rotte tutt'intorno. I vetri delle finestre sono oscurati da una vernice verde per impedire a tutti di sbirciare all'interno. Aldemir cammina dietro Pablo guardandosi intorno con sospetto. " Ragazzi questo è Aldemir ! E' dei nostri ! ". Afferma Pablo con tono forte e deciso presentando orgogliosamente Aldemir. Inorgoglito dalla presentazione di Pablo saluta tutti con un cenno della testa senza parlare. Allo stesso modo viene corrisposto dai ragazzi della banda sospettosi almeno quanto lui.

Pablo indiscusso leader del gruppo siede a capotavola poggiando i piedi sul tavolo in modo brusco. Aldemir lo osserva attentamente e prende posto all'altra estremità del tavolo di fronte a lui. La rabbia e la povertà hanno creato in lui uno status di ribellione così grande da voler non solo entrare in questa banda di micro-criminali ma addirittura a desiderarne di essere uno dei leader. Sul tavolo dove Aldemir è seduto si legge una frase incisa in Portoghese " A vida e a morte são apenas uma ilusão ". Tradotto significa " la vita e la morte sono solo una illusione ". Nel leggere quella frase Aldemir avverte un brivido di terrore. Lui pensa immediatamente ad una sorta di avvertimento divino per impedirgli di entrare in quella cerchia di criminalita. Con noncuranza decide di rigettare completamente quell'avvertimento e di proseguire fermamente con la sua decisione, anche se in un futuro più o meno breve, dovrà a forza maggiore fare i conti con la sua vita e con una sua eventuale prematura dipartita.

" Prima di iniziare la riunione battiamo i pugni sul tavolo per Bruno in segno di onore e cordoglio. Il nostro migliore guerriero caduto in battaglia ! ". Esclama Pablo battendo forte i pugni sul tavolo. Aldemir si unisce a tutti anche se la sua attenzione rimane focalizzata sulla frase appena letta. " Aldemir .. quella frase l'ha scritta Bruno, presto imparerai sulla tua pelle cosa significa ! " Esclama Pablo. Lui non risponde e guardandosi intorno con più attenzione nota sul polso di tutti i ragazzi un tatuaggio raffigurante una aquila come segno di appartenenza al clan.

" Prima di farlo entrare nei nostri affari voglio sapere con chi ho a che fare. E se fosse una spia ? ". Domanda Rigo audacemente. Un ragazzino di neanche dieci anni alto quanto un soldo di cacio, moro con i capelli ricci e folti come la lana, con indosso una lercia maglietta gialla e verde abbinata ad un pantaloncino verde lercio anch'esso. Pablo si alza in piedi bruscamente. " Aldemir l'ho reclutato io ! E garantisco io ! Se qualcuno ha qualcosa in contrario parli ora ! ". Dichiara infuriato Pablo guardando in malo modo tutti sbraitando come un cane rabbioso.

Lui alla tenera età di 14 anni ha già sulle spalle due anni di galera per omicidio colposo ed è capo di un giro di droga e prostituzione nei quartieri del nord delle favelas. È un ragazzo rispettato e nessuno mai osa contraddirlo perché temeno di essere aggrediti violentemente da lui. Tutti si guardano in viso ed abbassano la testa mestamente. I ragazzi della banda hanno più o meno la stessa età di Aldemir ma il perché lui sia stato preso così in considerazione da Pablo ancora non gli risulta chiaro. " Perfetto ! Ora possiamo iniziare la riunione ! ". Dichiara Pablo dopo aver aspettato la risposta di qualche temerario per almeno trenta secondi. " Andrè, Luis e Tiago come va il commercio dell'erba nella vostra zona ? "

Domanda Pablo poggiando i gomiti sul tavolo.

I tre ragazzi se pur meno che adolescenti hanno un viso segnato dal dolore e dal vizio come dei vecchi stanchi e privi di emozioni. Nei loro occhi Aldemir non riesce a cogliere più l'innocenza consona alla loro età e ne viene colpito profondamente. Vestiti anche loro con abiti lerci e datati i ragazzi si alzano in piedi e rovistando nelle loro tasche animatamente poggiano sul tavolo un gruzzolo di soldi abbastanza consistente. Aldemir non hai mai visto tanti soldi in tutta la sua vita. " Perché sono così pochi ? " Domanda Pablo con aria minacciosa. I tre ragazzi impallidiscono come la cera e balbettando cercano di accampare scuse poco plausibili. Pablo con calma si alza dalla sedia e li raggiunge molto lentamente. Si avvicina al primo dei tre, Luiz, un bimbo di nove anni scuro di pelle e con i capelli ricci e neri come il carbone. " Guardami bene, pensi che io sia uno sciocco ? ". Domanda in modo alterato Pablo guardando fisso Luiz negli occhi. Se pur coraggioso il piccolo Luiz teme la furia di Pablo in quanto più volte lo ha visto in azione. È ancora nitida nella sua mente l'azzuffata tra Bruno e Pablo al loro primo incontro dove lui sentendosi minacciato ha quasi ammazzato l'appena commemorato amico.

" No ! ". Risponde seccamente Luiz cercando di non far trasparire tutta la paura del suo cuore. " GIUSTO ! Allora puoi spiegarmi perché invece di vendere la mia marijuana l'avete fumata quasi tutta voi ? ". Replica Pablo aggirando la sedia di Luiz per rivolgersi direttamente a Tiago come capo del piccolo gruppo, il quale dal canto suo, vedendosi scoperto abbassa lo sguardo ormai rassegnato ad essere punito per la sua trasgressione.

Gli ordini di Pablo sono sempre stati diretti e molto chiari. Chi sbaglia paga ! Questa è la legge. " Si l'abbiamo fumata noi ! " Ammette tremante Andrè sperando di alleviare almeno in parte la sua punizione. " L'abbiamo fumata perché avevamo fame e volevamo sballarci un pò. Perdonaci Pablo non lo faremo mai più ! ". Risponde prontamente Tiago addossandosi tutta la colpa. " Per questa volta passi ma non pensate di potermi ingannare in questo modo ! Io so sempre tutto in un modo o in un altro. Intanto mi ripagherete con i vostri soldi, poi si vedrà ! ". Replica Pablo raccogliendo in un solo colpo tutti i soldi dal tavolo. Nessuno dei tre ha il coraggio di rispondere. Qualcuno di loro tira perfino un sospiro di sollievo per non essere stato punito in un modo più cruento.

" Ora veniamo al nuovo entrato Aldemir. Sarà direttamente addestrato da me e prenderà il posto di Bruno. Cioè il mio braccio destro ! ". Afferma Pablo con tono deciso. Aldemir lo guarda spaventato cosa avrebbe dovuto fare ? Come si sarebbe dovuto comportare ? Essere il braccio destro di un omicida avrebbe comportato una vita di distruzione e questo Aldemir lo ha capito bene fin da quando è entrato in quella casa per la prima volta. Ma il potere di Pablo ed i soldi sul tavolo associati al timore e rispetto di tutti per lui, affascina Aldemir oltremodo. Pablo ormai è diventato il suo modello di vita, il suo mentore e la sua guida. " Oggi pomeriggio voi occupatevi delle scuole e non fumatevi tutta la marijuana da vendere ! Voi invece stasera fate il giro delle discoteche con la cocaina. Occhio ai turisti. Borseggiate e rubate tutto quello che potete. Sono stato chiaro ? ". Domanda Pablo impartendo ordini battendo i pugni sul tavolo. Tutti annuiscono solo Aldemir nell'osservare tutta la scena mostra un cinico sorriso di compiacimento. " Aldemir ! Vieni con me ! ". Esclama Pablo alzandosi frettolosamente dal tavolo per raggiungere la porta.

Lui lo segue senza proferire parola nel buio corridoio dove una puzza di morte prevale sulla tutta sporcizia presente. Alcuni drogati sdraiati a terra con ancora la siringa nel braccio viaggiano chissà in quali terre oscure. " Attento! ". Esclama Pablo camminando a zig zag cercando di evitare i topi tra l'immondizia. Alla fine di tanta miseria una porta nera con una maniglia dorata attira l'attenzione di Aldemir. È totalmente fuori dal contesto di miseria visto fino ad ora come una collana di perle preziose al collo di un maiale.

Pablo estrae una chiave dal suo pantalone. Una chiave agganciata ad una catena d'oro. Un orologio d'oro massiccio è attaccato accanto alla strana chiave. Alemir osserva meticolosamente l'orologio. Non è un orologio adatto ad un ragazzo di quella età. Quasi sicuramente quell'oggetto è frutto di una rapina andata a buon fine. " Tutto quello che vedrai ora rimarrà solo tra noi due. Se ti farai scapapre un solo un fiato sull'argomento sei morto ! ". Esclama Pablo in modo serio. Aldemir avrebbe voluto scappare in quello stesso momento ma quacosa di oscuro lo blocca. " Ovviamente ". Risponde con un cinico ghigno sul viso senza indietreggiare. Pablo gli rivolge uno sguardo minaccioso annuendo per poi aprire la porta.

Con grande sorpresa di Aldemir la porta nera nasconde una grande camera completamente blindata senza finestre. È il bunker di Pablo. Una stanza dove può tranquillamente svolgere i suoi loschi affari senza essere preoccupato di essere catturato o ucciso. Entrando nel bunker Aldemir si ritrova in un ambiente totalmente diverso da quello della casa diroccata. Il bunker è una grande e lussuosa camera con pareti in acciaio spesse ed impenetrabili da qualsiasi tipo di arma conosciuta. Un letto immenso su una parete ne fa da padrone. Una grande televisione è posizionata al centro della stanza. Una cucina in tech rosso pulita ed ordinata predomina sui divani in pelle nera. Una pelle di mucca funge da tappeto ed una bacheca con preziosi oggetti in oro si lascia immediatamente notare appena entrati nella camera. La porta del bagno è semi-aperta ed Aldemir intravede un bagno con grande idromassaggio. Due grandi casseforti sono poste ai due lati del letto. Sui comodini al posto delle classiche bajour di ceramica sono posizionati in bella vista due candelabri d'oro. Nella camera tutto luccica come in una gioielleria di lusso. Gli arredi interni e gli oggetti sono d'oro compreso l'accendino ed il portasigarette di Pablo.

Aldemir viene colto da un capogiro. Non ha mai visto tanto oro e tante ricchezze in vita sua e già pregusta di vivere la stessa vita di Pablo senza averne però ancora capito lo scotto da pagare. " Ti piacerebbe avere una casa come la mia ? ". Domanda orgogliosamente Pablo aprendo una delle due casseforti. " Certo ! ". Risponde

Aldemir intento a scoprire il tesoro racchiuso nella cassaforte.

All'apertura della cassaforte Aldemir non riesce a credere ai suoi occhi. Così giovane Pablo ha già accumulato una ricchezza grandissima. Soldi, gioielli e lingotti d'oro si intravedono appena lo sportello si apre. " Cosa devo fare ? ". Domanda Aldemir abbagliato da tanta ricchezza. " Lo vedrai .. Ora vattene a casa voglio dormire ! Stasera passo a prenderti. Andiamo in discoteca ! ". Risponde Pablo sgarbatamente. Aldemir annuisce e volatosi repentinamente si dirige verso l'uscita. " HEY ". Esclama di nuovo Pablo con spavalderia. " Dimmi ". Risponde Aldemir prontamente. " Ecco prendi dei soldi. Compra un pantalone ed una maglietta decenti ! ". Replica lui lanciando ad Aldemir un consistente rotolo di danaro tenuto chiuso da una molla gialla.

Lui prende i soldi al volo e voltato le spalle a Pablo lascia la stanza facendo attenzione a non essere visto quando ripone velocemente il danaro nella piccola tasca del suo pantaloncino.

Percorrendo la strada nel tornare a casa, Aldemir tiene la mano in tasca incredulo di avere tanto danaro a sua completa disposizione. Nella sua mente le parole di Pablo rimbombano come un tamburo. Scendere in città per comprare degli abiti consoni per una serata in discoteca è la sua priorità. La città è molto distante così, come la maggior parte dei ragazzi delle favelas, non avendo soldi scroccano un passaggio all'insaputa del malcapitato conducente, anche Aldemir si appresta a fare lo stesso. Tutti gli autobus di linea hanno una scaletta esterna per poter raggiungere il tetto e depositare le valige dei viaggiatori. Aldemir ha già pianificato di sgattaiolare furtivamente tra la folla ed aggrapaprsi ad essa fino ad arrivare alla sua agognata destinazione.

Anche se preso da frenesia, lui cerca di calmarsi ed aspetta pazientemente l'autobus insieme a tante persone sfiancate dal caldo torrido, riparate momentaneamente soltanto dall'ombra di qualche albero generoso piantato nei pressi della fermata. Non appena l'autobus si ferma Aldemir, facendo molta attenzione a non essere visto dall'autista, sosta con indifferenza davanti la scaletta aspettando che l'autobus riparta per poi aggrapparsi ad essa ed andare verso la sua nuova vita. Non appena l'autobus riprende la corsa, Aldemir con molto velocemente, attua il suo piano tenendosi stretto alla scaletta per non cadere durante il tragitto.

La polvere delle strade è fastidiosa. Per Aldemir è un vero e proprio tormento. Tuttavia il percorrere dell'autobus a velocità moderata una volta uscito dalle favelas e diretto nella città, procura ad Aldemir un senso di libertà mai provato prima. Lui aveva sempre sentito parlare di questa sensazione di libertà dai ragazzi più grandi i quali, spesso prendevano l'autobus per andare in città dove svolgevano la maggior parte dei loro " affari " come li definivano. Al contrario di loro, lui non ha mai lasciato le favelas senza Arasmina e le sue sorelle. Nell'avvicinarsi alla città Aldemir sente crescere dentro di lui una gioia inspiegabile. Non ha mai provato così tanta felicità. " Ho del denaro. Mi è stato regalato ! Finalmente posso comprare tutto ciò che voglio ! ". Ripete incredulo a se stesso guardando i negozi davanti i quali l'autobus si ferma sistematicamente per permettere ai passegeri di scendere.

Scelto la zona in cui fare acquisti, Aldemir scende dall'autobus. Nulla di tutto ciò che vede gli è familiare. Una grande chiassosa città piena di persone sorridenti e ben vestite si presenta ai suoi occhi come la città dei balocchi tanto agognata fin da bambino. I negozi con le loro enormi vetrine abbagliano la vista di Aldemir. Bar pieni di persone mangiano gelati chiacchierando. Strade affollate di turisti intenti a fotografare ogni cosa incuriosiscono Aldemir, il quale, ha la sensazione di sentirsi per un attimo come in Paradiso. " Un giorno anche io potrei essere come loro. Ben vestito e sorridente e magari andare via dalle Favelas per vivere con mamma e le mie sorelle in un palazzo bello come questo ! ". Pensa tra sé Aldemir convincendosi di aver fatto la scelta giusta nell'unirsi a Pablo e la sua banda. Rapito come in estasi si ferma davanti una vetrina. Un meraviglioso jeans ed una maglietta che non avrebbe mai potuto permettersi attirano il suo sguardo. Subito Aldemir mette la mano in tasca tirando fuori i soldi. Pablo gli ha regalato molto più danaro di quanto lui avesse realmente bisogno. Così entra immediatamente nel negozio deciso ad acquistare i suoi primi abiti in modo indipendente.

" Brutto teppista ! Esci immediatamente fuori dal negozio! Hai intenzione di spaventare tutti i miei clienti ? ". Domanda urlando furiosamente una commessa correndo lungo il corridoio del negozio non appena lo vede entrare dalla porta principale. Aldemir basito non si rende conto del perché questa donna urla contro di lui fino a quando non si volta e, specchiandosi in uno dei tanti specchi attaccati alle pareti del negozio, si rende conto di non aver fatto caso al suo aspetto.

La sua maglietta logora ed il suo pantaloncino sbiadito hanno allarmato la commessa facendola reagire in quel modo. In quel momento Aldemir realizza che la sua normalità così come la normalità di tutti i ragazzi della favelas era scandalosamente riprovevole per la gente di città. " Ho i soldi ! ". Risponde immediatamente Aldemir tirando fuori il rotolo di danaro per mostrarlo alla commessa. " Cosa vuoi comprare ? ". Domanda lei con aria sospettosa scrutando Aldemir dalla testa ai piedi. Il viso di Aldemir è impolverato a causa della corsa in autobus e mentre osserva la commessa ben vestita con i capelli e le unghie curate, lui ripensa alle sue due sorelle e sua madre a casa vestite con abiti giornalieri e di poco conto. " Voglio comprare gli abiti in vetrina ! ". Esclama indicando gli abiti di cui si era immediatamente infatuato.

La commessa si intenerisce davanti un ragazzino con gli occhi così vispi e brillanti. " Su coraggio entra e stai attento a non rompere nulla ok ? ". Replica lei indicandogli la strada per i camerini. Entrato nel camerino la commessa porge ad Aldemir gli abiti scelti. Lui si affretta ad indossarli poi quasi senza coraggio si volta verso il lungo specchio ad unghia posizionato nel camerino ammirandosi compiaciuto. Ora non vede più un bambino delle favelas ma un ragazzo " perbene " di città, ben vestito ed educato, il classico figlio di papà da lui sempre odiato. " Non posso tornare a casa vestito in questo modo o i ragazzi del quartiere mi assaliranno e mi picchieranno per spogliarmi ! ".

Pensa immediatamente Aldemir sorridendo. Uscito dal camerino porge gli abiti alla commessa accincendosi a pagare, quando la sua attenzione viene attirata da un bellissimo abito da donna ed il suo primo pensiero va alla mamma. Sicuramente lei sarebbe stata bellissima con quell'abito, così decide prontamente di acquistarlo insieme ad una gonna per Adriana ed una maglia colorata per Alda raffigurante una sirena da lei tanto amata.

Dopo essersi fermato a prendere un pezzo di pizza, una bibita ed un gelato, con tutti i suoi pacchetti Aldemir si accinge a salire sull'autobus per poi ritornare a casa. Di li a poco avrebbe dovuto incontrare Pablo. Molto probabilmente lo avrebbe presentato a tutta la sua famiglia come suo datore di lavoro. In fondo in fondo lui sta offrendo ad Aldemir una buona occasione per migliorare la sua vita e quella della sua famiglia regalando loro una agiatezza economica tanto desiderata. Seduto in autobus con i suoi pacchetti stretti in mano, Aldemir pregusta come sarebbe stato vivere agiatamente. Arasmina avrebbe di nuovo potuto occuparsi di loro a tempo pieno e le sue sorelle avrebbero potuto vestire abiti importanti per essere invidiate da tutti. Lui avrebbe acquisito il rispetto per se stesso e quello degli altri riottenendo indietro quella autostima rubatagli da Almir quando lo aveva abbandonato.

Arrivato a casa Aldemir apre la porta e subito il suo sguardo è per Arasmina seduta vicino al tavolo con gli occhi pieni di lacrime. " Che succede mamma ? ". Domanda lui preoccupato. " Dove sei stato ? Sono tornata dal lavoro e le tue sorelle erano qui da sole.

Adriana badava ad Alda e quando ho chiesto dov'eri non hanno saputo rispondere ! ". Esclama Arasmina con un filo di voce. Aldemir non avrebbe mai pensato che il suo piccolo viaggio in città lo avrebbe trattenuto così tanto, solo ora guardando l'orologio, si accorge di quanto sia in ritardo. La preoccupazione di Arasmina è del tutto giustificata. Andare in giro di notte non è una cosa facile nel quartiere delle favelas. Eccezione fatta per chi appartiene ad una banda, in questo caso si è protetti dagli attacchi di altri malviventi.

" Perdonami mamma. Sono stato in città dove ho comprato dei regali per tutti ! ". Esclama Aldemir cercando di rincuorare Arasmina e le sue sorelle spaventate almeno quanto lei. " Con quali soldi ? ". Domanda prontamente Arasmina balzando ritta in piedi lasciando cadere la sedia a terra. Il rumore della sedia fa spaventare la piccola Alda la quale si aggrappa alla mano di Adriana fortemente. Aldemir abbassa gli occhi per inventare prontamente una scusa o Arasmina lo avrebbe punito in malo modo. " Ho messo da parte dei soldi guadagnati facendo lavoretti in giro, volevo farvi una sorpresa ! ". Risponde prontamente Aldemir sorridendo. Arasmina inzialmente sembra non essere convinta ma il sorriso di lui la conquista totalmente. Non è inusuale nel quartiere che i ragazzi trovino qualche lavoretto per aiutare le proprie famiglie.

" Sei andato in città da solo ? " Domanda Arasmina allarmata. " Si ho preso la corriera ed è andato tutto bene. Non preoccuparti per me mamma ormai sono grande ! ". Esclama Aldemir orgogliosamente poggiando i pacchetti sul tavolo. " Non vuoi aprire il regalo ? ". Domanda incuriosito porgendo ad

Arasmina la confezione regalo che la commessa aveva realizzato per il suo abito. Lei scuote la testa in senso affermativo poi guarda Aldemir, lui sembra così fiero del suo operato.

" Forse sta dicendo la verità ! ". Pensa Arasmina nel suo cuore prendendo il pacchetto dalle mani del figlio. Nell'aprire i regali tutte loro rimangono senza parole. Nessuno della famiglia ha mai posseduto abiti così belli fino ad ora. " Saranno costati una fortuna ! ". Esclama Arasmina preoccupata guardando Aldemir con sospetto. " Non preoccuparti mamma ho trovato un buon lavoro da ora in poi la nostra vita cambierà. Io provvederò a te ad Adriana ed Alda. Presto non sarai costretta a lavorare tutto il giorno ! ". Risponde Aldemir fieramente. Arasmina è totalmente disorientata dalle parole del figlio. Non riesce a capire cosa un ragazzino di 12 anni potesse avere nella sua mente ancora immatura per destreggiarsi con le esperienze di vita e nel suo cuore invoca Dio in silenzio di non far imboccare a suo figlio una brutta strada.

Dopo cena Aldemir corre a lavarsi per poi indossare i suoi nuovi abiti aspettando pazientemente Pablo per iniziare il suo nuovo " Lavoro ". Nella sua mente immagina milioni di scenari. Cosa avrebbe dovuto fare o dire ? Sicuramente non sarebbe stata una serata spensierata in discoteca. Il pensiero distrugge e stimola la sua mente contemporaneamente. A quasi mezzanotte Pablo non è ancora arrivato. Aldemir ormai stanco ed assonnato pensa che Pablo sia stato trattenuto da qualche altro affare, e si sia dimenticato del loro appuntamento. Scoraggiato e deluso decide di andare a dormire così come hanno già fatto Arasmina e le sue sorelle da un bel po'. " HEY SEI PRONTO ? ". Sente improvvisamente urlare dal di fuori della casa. La voce di Pablo per Aldemir è inconfondibile. Appena la ode lui tira un sospiro di sollievo e tutta l'energia persa nell'attesa ricompare in un istante. Prontamente si dirige verso la porta aprendola velocemente. Pablo è in strada appena fuori il cancello seduto sulla sua moto rosso fiamma, indossando degli abiti molto costosi tanto da far sembrare gli abiti nuovi di Aldemir di poco conto. Aldemir chiude velocemente la porta prendendo le chiavi per dirigersi verso di lui.

" Non ti avevo detto di vestirti in modo adatto ? ". Domanda immediatamente Pablo visibilmente infastidito. " Andiamo in discoteca non a " farci " una casa ! ". Solo dopo poco tempo Aldemir avrebbe capito che " Farci una casa " significa nel gergo di Pablo rubare in qualche villa di lusso. Il cuore di Aldemir batte a mille e mille. Salendo in sella della moto di Pablo guarda un'ultima volta la sua casa con una vena di rammarico come se avesse voluto dire addio alla sua innocenza per sempre.

Pablo con la sua moto sfreccia per i vicoli dei quartieri nel buio della notte. Il rimbombo del motore sveglia alcuni cani, i quali spaventati abbaiano rincorrendoli . Evitando di finire in alcuni bidoni dell'immondizia a causa della velocità, Pablo ed Aldemir arrivano in pochi minuti al centro di San Paolo. A notte fonda sembra essere in pieno giorno. Il " popolo della notte " come lo chiama Pablo, comincia a prendere vita solo dopo la mezzanotte. Come se le tenebre dessero sfogo a tutta la loro lussuria illudendo le persone con sesso e droga, spingendole a superare ogni limite. Pablo ed Aldemir arrivano davanti la discoteca. Lui parcheggia la moto davanti la porta di entrata e getta le chiavi al buttafuori. " Occhio alla moto ! ". Ordina con voce autorevole scavalcando le catene per entrare in discoteca. Aldemir rimane oltremodo sorpreso di come Pablo avesse superato una fila di almeno cento persone in attesa di entrare e, resta del tutto basito quando nessuno proferisce parola in merito. Seguendo Pablo in silenzio per la prima volta della sua vita Aldemir si ritrova in una discoteca.

Lui non avrebbe mai potuto immaginare neanche lontanamente la realtà di una discoteca Brasiliana. Molte volte spinto dalla curiosità ha provato ad immaginarla dai racconti dei suoi " amici " del quartiere, ma la realtà supera di gran lunga ogni sua aspettativa. Il locale ha interamente le pareti dipinte di nero. Contrariamente il grande bancone dei liquori è illuminato da neon bianchi ed ha alle spalle una lunga parete fatta di specchi. Sgabelli neri in pelle ed acciaio sono intorno al bancone occupati da persone intente a chiacchierare e bere. Il pavimento nero si estende per tutto il locale illuminato solo da palle fatte di specchi le quali, girando continuamente, riflettono la luce dei faretti in tutta la sala. In molti angoli sono posizionati salottini e divani in pelle nera interamente occupati da uomini di affari, i quali, svolgono i loro " lavoro " tranquillamente tirando su qualche striscia di cocaina come se fosse zucchero.

Uno di quei divani è riservato a Pablo il quale, si dirige nella sua postazione in modo diretto e senza fermarsi a chiacchierare con nessuno. È freddo e concentrato neanche le belle ragazze seminude sui cubi, ballando per attirare l'attenzionde di lussuriosi turisti, sembrano carpire la sua attenzione.

Aldemir segue Pablo in silenzio sedendosi accanto a lui nel salottino privato intento ad osservare l'ambiente. " Hey portaci da bere ! ". Esclama prepotentemente Pablo facendo un cenno con la testa al cameriere. Dopo qualche secondo arriva il barman con una bottiglia di Champagne dolce e dei bicchieri poggiati su un ampio vassoio di acciaio a specchio. " Posa tutto sul tavolo e vattene ! ". Esclama maleducatamente Pablo. Il cameriere obbedisce prontamente poggiando il vassoio sul basso tavolino fatto di specchi anch'esso posto davanti al divano. Aldemir non ha mai bevuto alcool e non sa cosa fare. " Non bevi ? ". Domanda Pablo prendendo un bicchiere di Champagne. Guardando il bicchiere, Aldemir pensa ad Arasmina. Fino ad allora lei lo aveva sempre tenuto lontano da questi vizi per evitare che potesse trasformarsi in un uomo simile a suo padre, il quale spesso e volentieri, beveva fino a svenire. Aldemir titubante si avvicina al tavolo prendendo il bicchiere ". Al nostro futuro ! ". Esclama Pablo toccando il bicchiere di Aldemir. Lui sorride senza replicare. " Che farò se non mi piace ? ". Domanda a se stesso sforzandosi di bere.

Lo champagne servito freddo, è dolce e frizzante. Aldemir lo trova molto gustoso al palato dato il caldo asfissiante e lo beve velocemente per poi versarne un altro bicchiere. " Attento ! Questa roba dà alla testa subito ! ". Esclama Pablo fissando con occhi lascivi una ragazza sulla pista. Aldemir non curante dell'avvertimento di lui beve un altro bicchiere. Dopo qualche secondo vede la stanza girare tutto intorno. Uno strano capogiro lo fa sentire leggero e spensierato come mai in vita sua. Due ragazze si avvicinano a loro e si accomodano accanto a Pablo ed Aldemir. Pablo con un fare molto deciso la abbraccia la ragazza al suo fianco mentre Aldemir si limita a guardare la ragazza fortemente imbarazzato.

" Pablo dobbiamo parlare ! ". Esclama un ragazzo ben vestito avvicinatosi al divano. Pablo guarda la ragazza e con un gesto della testa le ordina di andare via. Insieme a lei anche la ragazza di Aldemir si affretta a lasciare il posto al misterioso ragazzo. " Chi è questo ragazzo ? ". Domanda incuriosito il giovane rivolgendosi ad Aldemir. ". È il mio braccio destro ! ". Dichiara Pablo con una punta di orgoglio. " Allora ? Che si fa ? ". Domanda il ragazzo accomodatosi sul divano bevendo anch'egli un bicchiere di champagne. " La merce arriva domani in nottata ! Tu e la tua banda dovete ritirarla alle tre, è già tutto organizzato ! ". Replica lui accavallando le gambe. " Che ne viene per me e per i miei ? ". Domanda Pablo avvicinatosi a lui guardandolo dritto negli occhi. " Il solito 3% sul prezzo di vendita ! ". Risponde il ragazzo con aria minacciosa.

Aldemir assiste a tutta la discussione senza capire di cosa stessero parlando. " Non questa volta ! " Esclama Pablo. " Questa volta voglio il 10% più la merce da rivendere per tutta la mia banda. Vogliamo crescere ed espandere il nostro business ! ". Replica Pablo accendendo una sigaretta. Aldemir è affascinato dalla sicurezza di lui e di come affronta senza paura questo ragazzo che, se pur visibilmente più grande di età, sembra essere un pezzo grosso dell'organizzazione. " Niente da fare ! Il 5% è la mia ultima offerta. Tu ed i tuoi ragazzi avrete parte della merce. Ti avviso ! Non tirare troppo la corda Pablo ! ". Replica il ragazzo alzandosi in piedi. Pablo annuisce con il capo e con fare spavaldo si china per prendere un altro bicchiere di champagne.

Alle cinque del mattino la discoteca è ancora strapiena. Tutti ballano e la maggioranza sembra ubriaca o strafatta di colla, cocaina e marijuana. Alcuni ragazzi vomitano negli angoli più remoti. Aldemir è stanco. I suoi occhi si chiudono quasi dal sonno. In più vuole rientrare a casa perché quando Arasmina si sarebbe svegliata lui avrebbe voluto essere lì per non farla preoccupare. " Sono stanco. Voglio andare a casa ! ". Esclama Ademir guardando Pablo parlare al cellulare animatamente. " Andiamo a casa quando dico io ! Se hai sonno, tira una striscia di cocaina per svegliarti ! ″. Aldemir si trova in imbarazzo. Non aveva mai fumato in vita sua e non si era mai accostato a droghe ed alcool. Il semplice bere gli aveva già causato bruciore di stomaco e sonnolenza cosa sarebbe successo se avesse tirato anche cocaina ?. " No grazie Pablo non mi va ora ! ″. Risponde per non sembrare ingenuo agli occhi di lui, il quale, deduce subito l'inesperienza di Aldemir ad assumere droghe proprio dal suo rifiuto. " Hai paura ? Non sei abbastanza grande da tirare cocaina? ". Domanda provocatoriamente Pablo sfidando Aldemir per metterlo alla prova. Aldemir arroccate le ciglia strappa la bustina di cocaina dalle mani di Pablo. " Con chi credi di parlare ? ". Domanda infastidito. Prende un pizzico di droga e con la stessa carta usata da Pablo per tagliare la sua striscia lo imita in tutto e per tutto fino a sniffare tutta la striscia di cocaina in un sol colpo.

Aldemir avverte un dolore insopportabile. Un bruciore sale dalle sue narici fino al cervello e come un fuoco potente prende possesso nella sua testa facendolo quasi impazzire. In un istante sente rilassare tutti i suoi muscoli come se la cocaina avesse resettato il suo organismo e balzando in piedi si stropiccia forte il naso e gli occhi. Il sonno è andato completamente via ed Aldemir avverte una anomala frenesia raggiungere le sue gambe. Lui ha bisogno di muoversi e di sfogare tutta la sua energia appena ritrovata. " Vado a ballare ! ". Esclama con voce seria raggiungendo velocemente la pista. La musica alta, le persone sudate e la puzza di vomito lo stordiscono ancora di più. La stanza gli gira intorno mentre il sudore trasuda dai suoi abiti. Il cuore di lui prende a battere molto volocemente, tanto veloce che ne sente il ritmo forte fin nelle orecchie come un ritmato tamburo africano. Si guarda intorno ridendo a crepapelle. La sua realtà è completamente alterata, fino a quando, come una lampadina si spegne lasciando padroneggiare il buio completo per poi svenire nel bel mezzo della pista.

Un aria umida e penetrante infastidisce Aldemir. È mattina ed il quartiere lentamente sta prendendo vita. Ogni tanto si ode in lonatanza un rumore forte di un motorino che irrompe nel silenzio. La vita come ogni giorno riprende in modo frenetico. Aldemir cerca di rigirarsi su se stesso tentando di riprendere coscienza. Pablo lo ha scaricato davanti casa sua e lui ha dormito molte ore sullo zerbino davanti la sua porta. Appena sveglio tenta di rialzarsi ma ancora stordito dai fumi dell'alcool e dalla cocaina vomita fino a quasi soffocare. A stento riesce ad aggrapparsi alla maniglia della porta per rimettersi in piedi. A tentoni entra in casa e raggiunge una sedia. Non ha nessuna intenzione di farsi vedere in quello stato dalla madre. Cosa avrebbe pensato il suo " cioccolattino " di lui ? Con le poche forze rimaste Aldemir si spoglia e raccogliendo gli abiti ancora sporchi di vomito li getta nella bacinella dove Arasmina ripone da sempre tutti gli abiti da lavare, poi, silenziosamente arriva sul divano per crollare di nuovo addormentato.

" Aldemir cosa fai qui ? sono le otto devi andare a scuola ! ". Domanda Arasmina appena sveglia. Aldemir si copre le orecchie. L'amata voce della madre ora è come una spada che trafigge il suo cranio. " Ho la febbre. Oggi non vado a scuola ! ". Esclama Aldemir rigirandosi sul fianco. Arasmina si avvicina e controllando la sua fronte costata effettivamente una temperatura anomala. Senza infastidirlo ulteriormente prende un lenzuolo fresco e lo copre per poi recarsi al lavoro come tutti i giorni portando con se Adriana ed Alda per accompagnarle a scuola. Aldemir ha degli spaventosi incubi. Lui continua a rivivere il momento in cui ha bevuto alcool e tirato cocaina. Sente inconsciamente nel suo corpo qualcosa cambiare. Rigirandosi sul divano tra sudori freddi e conati di vomito promette a se stesso di non assumere più quelle sostanze.

Il rumore del campanello ed i successivi picchettii alla porta sveglia Aldemir. Non ha voglia di rispondere ma il rumore provocato dal bussare è persistente. " Chi è ? " Domanda con un filo di voce. " Aldemir. " Sono Daniele ! Posso entrare ? ". Risponde lui timidamente, aspettando educatamente fuori la porta una risposta.

Aldemir non ha voglia di parlare con lui. Daniele è sempre stato per lui come un fratello ed era un bravo ragazzo, se lo avesse visto in quello stato si sarebbe sentito umiliato e giudicato. " Non ora Daniele .. torna dopo ! ". Risponde Aldemir con voce tremula. Daniele insiste nel bussare incessantemente. " Sono preoccupato per te ! Fammi entrare ! ". Esclama lui con voce ferma e decisa. Aldemir visto la perserveranza di Daniele ed avendo capito che non lo avrebbe lasciato tranquillo si rassegna. " Ok Entra ! ", Replica tentando di sedersi sul divano ed assumere una postura meno preoccupante per evitare spiacevoli domande.

" Cosa succede ? Non ti ho visto a scuola. Ero preoccupato ! Come stai ? ". Domanda Daniele entrando in casa dirigendosi velocemente verso di lui. Aldemir ha gli occhi rossi ed un viso pallido, i capelli scompigliati ed il suo alito è maleodorante a causa del vomito. " Ho la febbre ! ". Esclama evitando lo sguardo attento e scrutatore di Daniele. Lui lo guarda insospettito ed avvertendo un odore acre provenire da Aldemir si avvicina ulteriormente. " Dimmi la verità Aldemir. Io sono il tuo migliore amico ! ". Risponde Daniele preoccupato poggiando la sua mano sulla spalla di lui. Aldemir vorrebbe confessare tutto ma non sa da dove inziare. Si accovaccia sul divano con le gambe incrociate come un guerriero Cherokee e, facendo leva su tutte le sue forze confessa. " Faccio parte di una banda. La nostra vita cambierà. Pablo, il capo, mi ha consacrato suo braccio destro. Ho l'opportunità di guadagnare molti soldi. Unisciti a me ! Nel giro di poco tempo potremmo lasciare il quartiere e spostarci in città con tutta la nostra famiglia ! ". Esclama Aldemir con aria compiaciuta. " Sei impazzito ? ". Replica Daniele balzando in piedi sbigottito. " Tua madre ti ha sempre raccomandato di evitare quella gente. Ogni giorno muore un ragazzo qui nel quartiere per scontri tra bande rivali, e se non muore per questo motivo, muore per le pallottole dei poliziotti, per la droga o per alcool ! Hai capito in quale guaio sei ? ". Domanda Daniele con una evidente espressione di delusione.

Aldemir stringe i denti. " Se vuoi venire con me .. Ok ! Ho bisogno di qualcuno a guardarmi le spalle. In caso contrario lasciami in pace ! ". Risponde lasciando Daniele letteralmente a bocca aperta. Un gelo glaciale irrompe nella stanza interponendosi tra i due. Daniele scuote la testa ed i suoi occhi si riempiono di lacrime " Tu sei come un fratello per me e ti seguirò anche se questo va contro tutti gli insegnamenti dei miei genitori perché, se non lo faccio, tu morirai. Siamo cresciuti insieme quindi non ti lascerò solo nel momento del tuo maggiore bisogno ! ". Replica Daniele. Aldemir è colpito dall'amore profondo e fraterno appena espresso da lui. " Ok allora la prossima volta vieni con me ! Ti presenterò Pablo e la banda ! ". Risponde Aldemir poggiando una mano sulla spalla di Daniele.

Il telefono suona ed entrambi sobbalzano dalla paura. Aldemir fa per alzarsi ma ancora reduce degli effetti di una effimera notte non ancora smaltiti si risiede, così Daniele con grande pazienza si affretta a rispondere.

" Si ! E' la casa della signorina Arasmina Rocha di Sosa ! ... No la signorina non c'è.. dica pure a me.. sono suo figlio ! " Esclama a telefono Daniele insospettendo Aldemir. Il telefono è poco usato in casa di Aldemir. Arasmina ha installato il telefono per il solo scopo di ricevere o effettuare chiamate di mera emergenza. Aldemir in cuor suo sa bene che la telefonata a cui Daniele sta rispondendo ora con un tono così ufficiale è indice di sventura. " Va bene ! Riferirò ! ". Conclude la telefonata Daniele con un viso pallido come cera. Aldemir lo osserva. Daniele ha un viso mesto. Resta per qualche secondo accanto al telefono con la mano poggiata alla cornetta. " Cosa succede ? ". Domanda Aldemir allarmato. " Tua madre ha un cancro allo stomaco ! "

Replica Daniele seccamente senza avere il coraggio di guardare Aldemir negli occhi. Lui avverte la sensazione di sprofondare in un vortice. Arasmina, il suo cioccolatino, è malata.

Milioni di pensieri in un solo secondo attraversano la sua mente. Per la gente del quartiere non abbastanza ricca da affrontare le spese mediche del caso una notizia del genere significa una morte fatta di atroci sofferenze. Il respiro di Aldemir si blocca per qualche istante. Adriana ed Alda sono il suo pensiero successivo. Due sorelle più piccole. E se Arasmina fosse davvero morta cosa sarebbe stato di loro ? Ancora una volta lui sente gravare tutto sulle sue spalle come un macigno. Disorientato dalla notizia avverte un lieve mancamento. Mai come in questo frangente ha bisogno di Pablo e del lavoro da lui offerto. Ora Aldemir ha un obiettivo, trovare i soldi per aiutare Arasmina e le sue sorelle Lui non è mai stato un tipo debole. Fin da piccolo è abituato ad affrontare la vita come un vero leone. Molto del carattere di Arasmina è in lui. Questo è il principale motivo per cui tra di loro c'è sempre stato un legame forte. " Andiamo per gradi ! Punto primo dovrò dirlo a mamma ! Poi vedrò il da farsi ! ". Replica lui dopo qualche secondo di riflessione. Daniele annuisce e siede accanto a lui. " Conta su di me amico mio ! ". Esclama Daniele con voce appena percettibile. Ora un silenzio diverso riempie la stanza. Un silenzio fatto di dolore e responsabilità avvertito da entrambe.

La porta di entrata si apre bruscamente. È Arasmina. Affannosamente ed in fretta corre verso il tavolo poggiando su di esso il sacchetto di carta contenente del cibo appena comprato. " E' andata via la febbre ? ". Domanda con voce mesta lei avvicinandosi ad Aldemir per toccargli la fronte. Questo semplice gesto di lei e le sue parole fanno crollare Aldemir in un pianto a dirotto. Presto avrebbe perso sua madre. Aldemir ne diventa consapevole solo quando la vede entrare dalla porta. In quello stesso istante realizza che Arasmina anche se poco presente a causa del lavoro è il suo intero mondo e la sua parte migliore. " Perché piangi ? ".

Domanda preoccupata lei tossendo fortre nel fazzoletto zuppo di sangue. " Ha telefonato l'ospedale ed per comunicare la risposta delle analisi di ieri ! ". Replica Aldemir fermandosi bruscamente. Non ha il coraggio di proseguire guardando il fazzoletto zuppo di sangue.

Guardando Aldemir piangere e Daniele in lacrime seduto accanto a lui, Arasmina capisce immediatamente la gravità della risposta ricevuta. " Quanto tempo ho ? ". Domanda ad Aldemir con tono mesto e le lacrime agli occhi. " Non lo so ! Il cancro è avanzato ! " Replica lui singhiozzando, manifestando così la sua tenera età di appena adolescente.

Arasmina si volta, e dirigendosi lentamente verso il tavolo sposta una sedia per lasciarsi cadere sopra come un sacco di patate. Appoggiando i gomiti sul tavolo si abbandona ad un pianto di disperazione. L'anima di Aldemir si squarcia in mille pezzi. Come se una bomba carta fosse esplosa nel suo cuore riducendolo in milioni di brandelli piccolissimi. Daniele si alza ed in silenzio si allontana verso la porta per andare via. Il dolore di Aldemir e di Arasmina è così forte tanto da rendere l'aria tangibilmente pesante ed oscura. Al rientro da scuola Adriana ed Alda, accompagnate a casa dalla mamma di Daniele, vedono Aldemir ed Arasmina in lacrime. Adriana capisce immediatamente l'accaduto essendo già al corrente della precaria salute di sua madre. Senza proferire parole corre da lei abbracciandola forte e nel stringerla scoppia in uno straziante pianto. Alda allo scuro di tutto si accora con un pianto più che altro di spavento.

Il buio della notte è cupo come il cuore di Aldemir. Rigirandosi nel letto a causa dei numerosi incubi, all'alba avverte uno straziante peso tanto da farlo svegliare definitivamente di soprassalto. Vestendosi in fretta, per poi sgattaiolare fuori casa furtivamente, si reca di corsa da Pablo. Lui è già diventato inconsapevolmente per Aldemir la sua nuova famiglia. La storia di Pablo è molto simile alla sua. Due ragazzi abbandonati entrambe dai loro padri, con madri impegnate tutto il giorno nel lavoro per provvedere alle necessità della famiglia. Due ragazzi chiamati dalla vita a crescere troppo in fretta. Due bambini vestiti da uomini responsabili reagiscono a modo loro ad una vita che vuole vederli sconfitti e sottomessi.

Abbandonato oramai il sogno di diventare calciatore, anche a causa del suo evidente zoppicare, Aldemir si dedica completamente a Pablo ed alla sua banda di teppisti la quale, cresce ogni giorno di più seminando terrore tra le strade notturne del quartiere e della città. Assalto ai curiosi turisti visitatori delle favelas, piccoli furti in ville lussuose in centro città, uso di droga in discoteca, coinvolgimento in giri di prostituzione e furti in aziende sono le loro principali attività. Tutto per il solo fine di ottenere il prezioso danaro che avrebbe regalato loro una vita agiata ed il rispetto di tutti.

Intanto la salute di Arasmina si aggrava giorno dopo giorno, così come, giorno dopo giorno Aldemir scappa via di casa per " lavorare " al suo nuovo progetto di vita. In realtà lui non desidera una vita diversa. Il suo vero scopo è stare tutto il giorno lontano da Arasmina e dal dolore della sua malattia, come se volesse evadere eludendo così di affrontare la cruda realtà. Arasmina lo aspetta rientrare tutti i giorni impaziente e preoccupata, mentre lui si cura attentamente di tenerla allo scuro di tutti i suoi loschi affari per non darle ulteriori grattacapi.

I soldi guadagnati da Aldemir sono maggiori a qualsiasi salario potesse aspirare un giovane del quartiere. Lui spende soldi facilmente comprando abiti eleganti per lui e per la sua famiglia. Il suo stile di vita è molto agiato tanto da diventare così l'invidia del suo quartiere. Nella sua banda Aldemir coinvolge anche Daniele il quale riesce a destreggiarsi benissimo in una vita inizialmente ripudiata ed a poco a poco diventata una vera e propria adrenalinica droga. I frutti della piccola criminalità sembrano così allettanti e dolci ma hanno un retrogusto molto amaro e presto Aldemir lo avrebbe scoperto nel più brutale dei modi.

" Aldemir, prima di uscire ti devo parlare ! ". Esclama Arasmina con un filo di voce. Lui mordicchia il suo labbro. Dallo sguardo di lei ha già capito il suo parlare prima che lo pronunciasse. " Mamma non ho tempo devo andare al lavoro ! ". Risponde bruscamente cercando di evitare il discorso. " Arasmina, seduta sul divano e con un filo di voce stende la mano per chiamarlo. " Vieni qui ! ". Replica teneramente. Un'altra coltellata nel cuore di Aldemir il quale, in pochi secondi, deve elaborare un piano per evitare gli occhi scrutatori di lei che avrebbero sicuramente visto in lui una verità distruttrice.

" Da dove provengono tutti questi soldi ? ". Domanda lei senza mezzi termini. Aldemir per un attimo non risponde. Seduto accanto a lei senza difese vorrebbe rispondere. " Non incolparmi mamma ! Tutto questo è per assicurare a te ed alle ragazze una vita migliore ! ". Ma non ha la forza di proferire parola. In cuor suo sa bene di mentire. In realtà lui ha scelto di seguire quella vita sconsiderata e non la vita onorata da lei sempre suggerita. " Non preoccuparti mamma .. è tutto ok ! ". Replica seccamente guardando Arasmina negli occhi.

Lei lo osserva e non vede più l'innocenza del suo piccolo Aldemir brillare dentro di lui. In qualche modo vivere quella vita dissoluta ha cambiato la sua espressione e la brillantezza della sua anima. " Ascoltami bene Aldemir. Sto male e tra poco non sarò più con voi. Non inoltrarti in una cattiva strada altrimenti chi baderà alle tue sorelle ? Tu sarai responsabile per loro perché io non potrò più esserlo ! ". Esclama Arasmina con voce appena percettibile. Aldemir la guarda. È preso da un grandissimo senso di colpa tanto da non riuscire a guardare la madre negli occhi. " Non preoccuparti mamma ! Non morirai ! Io non lo permetterò ! ". Replica deciso balzando in piedi improvvisamente. Arasmina accenna ad un sorriso ed Aldemir teneramente si avvicina a lei baciandole la fronte. " Ora devo uscire. Farò tardi ! ". Esclama lui prendendo le chiavi di casa poggiate sul tavolo prima di uscire. Arasmina lo guarda uscire di casa rattristata dal fatto di dover mettere sulle spalle di un giovane adolescente, ancora una volta, un peso così grande.

Uscito di casa Aldemir si reca direttamente alla base operativa dove avrebbe di li a poco incontrato Pablo e la banda per un nuovo colpo. Nel raggiungere la casa di Daniele nota un furgoncino bianco dove i genitori di lui stanno caricando valige ed accessori. " Daniele cosa succede ? ". Domanda Aldemir preoccupato. " Papà ha cambiato lavoro. Andremo a vivere in città ! ". Risponde lui con un volto triste abbassando la testa. " Lasci la banda ? ". Domanda Aldemir allarmato. Perdere il suo migliore amico e la sua fidata " guardia del corpo " per lui è un colpo tremendo. Daniele abbassa la testa. " Sono ancora minorenne non posso ribellarmi. Mio padre ha capito qualcosa e vuole togliermi dal giro della delinquenza. Cambierò scuola, gruppo di amici e lavorerò onestamente per guadagnarmi da vivere. Da ora in poi sarai da solo amico mio. ". Replica lui guardando negli occhi verdi di Alemir.

I suoi occhi così brillanti si oscurano tutto d'un tratto come se due fari si spegnessero nelle tenebre lasciando un buio così tangibile da sentirne tutto il peso. Aldemir ha imparato in questi anni di scorribande con Pablo che non può permettersi di piangere quando un amico lo lascia. È la vita. Le persone vanno e vengono ma tutte rimangono delle impronte dentro la nostra anima.

Daniele ha lasciato in eredità ad Aldemir, la sua prudenza, cosa che lui avrebbe custodito come un prezioso tesoro. Abbracciato velocemente il suo migliore amico, Aldemir si reca verso la casa diroccata dove tutti lo aspettano impazientemente.

" Mamma, mamma. Ascolta la radio ! In questa Chiesa Evangelica accadono guarigioni, liberazioni e battezzi di Spirito Santo. Sarà vero ? Cosa sarà il Battezzo dello Spirito Santo ? ". Domanda incuriosita Alda. " Andrò a costatare di persona ! Voglio vedere cosa succede in quella chiesa con i miei occhi ! ". Dichiara correndo frettolosamente in camera per vestirsi e recarsi in chiesa. Arasmina rimane seduta sul divano pensando che avrebbe potuto recarsi in quella chiesa per presentare la sua preghiera davanti ad un Dio da lei invocato fin da bambina per essere guarita. " Alda fammi sapere la verità ! ". Esclama lei mentre osserva la figlia uscire frettolosamente di casa. Adriana visto l'iniziale entusiasmo della sorella prende posto accanto a sua madre ed entrambe impazienti aspettano l'orario della prossima funzione via radio con curiosità e genuina fede.

" Sei in ritardo ! " Esclama Pablo non appena Aldemir mette piede nella loro ormai leggendaria sala riunioni. " Lo so ! Ho perso tempo con Daniele. A proposito lui lascia la banda, si trasferisce in città con la famiglia ! ". Annuncia Aldemir con totale distacco raggiungendo il suo posto di secondo in comando per elaborare il piano del giorno. " Il piano di oggi è il furto del TIR di televisori ! ". Esclama Pablo poggiando sul tavolo una cartina ben dettagliata del percorso del TIR.

Aldemir si alza e da una veloce occhiata. " Sarà impossibile fermarlo durante il percorso. Dobbiamo prenderlo al deposito ! ". Dichiara lui con fare sicuro. "

" Aldemir ha ragione! Non possiamo inscenare molti ostacoli per farlo fermare e rallentare o l'autista si insospettirà ! ". Replica prontamente Tiago fissando il percorso attentamente. Pablo annuisce aggrottando le ciglia. " Allora qual'è il vostro piano ? ". Domanda incuriosito. " Io direi di seguire il TIR dal deposito di carico fino al deposito di scarico. Giusto qualche kilometro prima inesceneremo un incidente di auto con una richiesta di aiuto. Non appena l'autista si fermerà lo minacceremo e prenderemo tutto il carico ! ". Esclama Aldemir sicuro di sé. Pablo annuisce mordicchiandosi il labbro. " E sia ! Allora faremo così ! Il mio informatore mi ha riferito che il TIR partirà domani dal deposito di carico nel primo pomeriggio per arrivare al deposito di scarico verso tarda sera. Tiago e Miguel prepareranno tutto per inscenare l'incidente. Io ed Aldemir prenderemo il TIR e lo guideremo fino al nostro deposito. Una volta svuotato da tutte le macchine lasceremo andare il conducente ed il TIR. Sarà un buon bottino ! Ogni cosa deve incastrarsi bene come un puzzle altrimenti saranno guai per tutti ! ". Esclama Pablo piantando il suo fedele coltello sulla mappa nel punto preciso del loro deposito.

" Mamma, Mamma ! ". Esclama entusiasta Alda entrando dalla porta scioccata. " Alda cosa succede ? ". Domanda lei preoccupata. " Ho partecipato ad una funzione in chiesa Evangelica. Tutto quello detto per radio è vero. I malati guariscono ed i posseduti sono liberati. Tantissime persone ricevono il battezzo dallo Spirito Santo manifestando il parlare di lingue sconosciute così come scritto nel libro degli atti degli Apostoli capitolo 2. Ho parlato con loro e tutti hanno confermato testimoniando il loro miracolo. La potenza di Dio è in mezzo a quel popolo ! ". Esclama Alda versandosi un bicchiere di acqua ancora tremante per lo stupore.

" Io ed Adriana abbiamo seguito la loro riunione via radio. Voglio andare in quel luogo ! Devo conoscere Dio ! ". Esclama Arasmina con un filo di voce appena percettibile a causa del suo cancro in fase avanzata. " Ad ogni modo ho deciso di non voler accettare la grazia di Dio per il momento. Sono troppo giovane. Ho tutta una vita da vivere, devo fare esperienza ! ". Replica Alda finendo il suo bicchiere d'acqua. " Ti accompagno io Mamma. Se li Dio è presente e quello è il Suo popolo, allora voglio farne parte anche io ! ". Esclama Adriana aiutando Arasmina ad alzarsi lentamente dal divano.

Adriana ed Arasmina incuriosite e con un cuore già rivolto verso Dio raggiungono lentamente la piazzetta per aspettare la corriera e recarsi nella chiesa il cui indirizzo è stato ben pubblicizzato via radio. Arasmina nella corriera avverte un fremito per tutto il corpo ed uno strano formicolio la prendere procurandole un prurito anomalo. Adriana dal conto suo osserva la madre. " Dio .. se esisti .. Aiutaci ! ". Pensa dentro il suo cuore guardando fisso l'azzurro del cielo davanti a lei. Nell'autobus il rumore, l'odore di sudore ed il brusio di voci infastidisce Arasmina la quale, dolorante cerca di chiudere gli occhi per non pensare alla forte nausea provata da quando è salita sulla corriera.

" Signora dove andate ? ". Domanda incuriosita una bambina rivolgendosi ad Arasmina. " In chiesa ! ". Esclama lei con un filo di voce. " Tu abiti nelle favelas ? Perché non ti rechi nella nostra chiesa ? La chiesa dove vai è speciale ? ". Domanda innocentemente la bambina leccando un gelato semisciolto. " Non so se questa chiesa sia speciale o no. Ma una cosa è certa ! Quella chiesa è una delle case di Dio ! ". Replica Arasmina rimanendo ad occhi chiusi. La bambina la osserva stupefatta. La risposta di Arasmina è in netto contrasto su tutti gli insegnamenti da lei ricevuti. La madre le aveva sempre spiegato il fatto che Dio è in ogni luogo perché dunque recarsi in una chiesa ?. Senza minimamente indagare sul mistero annunciato da Arasmina e con l'innocenza della sua tenera età, la bambina si rigira sul sediolino continuando a mangiare il suo gelato ormai sciolto del tutto a causa del caldo.

" Mamma prepariamoci tra poco arriveremo alla nostra fermata ! ". Esclama Adriana impaziente di vedere con i propri occhi la verità ascoltata tramite la predicazione del Vangelo via radio. Arasmina aggrappandosi forte alla maniglia del sedile davanti si sforza di raccogliere tutte le sue energie per poter scendere dall'autobus se pur lentamente. Nella sua testa ha un pensiero ricorrente. " Sei pazza ! Lo sei sempre stata fin da bambina ! ". Ed ancora. " Il tuo stato di salute è cagionevole. Non arriverai in chiesa rassegnati ! ". Arasmina cerca con pochi risulati di scacciare via questi insistenti pensieri in crescendo mano mano l'avvicinarsi della fermata. " Morirai presto con il cancro. Quale Dio potrà salvarti ? ". Continua a parlare nitidamente nella sua testa una insistente voce di scoraggiamento tanto da esserne spaventata. " Mamma cosa succede ? ". Domanda Adriana preoccupata sorreggendo Arasmina per il suo intero peso nel momento in cui lei si accinge a scendere dall'autobus. " Sto bene ! Andrò in quella chiesa e nessuno mi fermerà ! ". Replica lei con un tono fermo e deciso padroneggiando autorità poco consona al suo dolce carattere stupendo Adriana.

Dall'uscita del'autobus alla chiesa Adriana ed Arasmina si fermano di tanto in tanto lungo il tragitto. Arasmina è affannata. Lo stomaco le duole più del dovuto e suda molto a causa della respirazione irregolare. Ogni tanto un colpo di tosse viene trattenuto dal solito fazzoletto imbrattato di sangue. Nell'avvicinarsi sempre di più verso la chiesa Arasmina avverte dentro di lei un peso grande quasi trasportasse un quintale sulla testa ma come una vera guerriera continua a proseguire verso la meta da lei prefissata con l'obiettivo di ottenere qualcosa da Dio.

" Mamma sei stanca, fermati un attimo ! ". Esclama Adriana osservando il viso di Arasmina contratto dal dolore. " No ! Faremo tardi alla funzione. Voglio essere lì quando si inizierà a lodare Dio come ho ascoltato via radio ! ". Esclama lei alzando gli occhi al cielo e chiedendo a Dio la forza di arrivare almeno alla soglia del locale di culto per ascoltare la voce di Dio tramite la predicazione della Bibbia. Da lontano su una piccola salita Arasmina ed Adriana intravedono la chiesa. In un attimo tutte le forze ed il fardello di Arasmina si trasfomano in una anomala energia ed affrettando il passo entrambe corrono verso l'entrata della chiesa. Esternamente la chiesa è molto grande. Numerosi credenti sostano davanti l'entrata aspettando l'orario della funzione, da loro chiamato " CULTO ".

Arasmina ed Adriana, avvertono una strana sensazione. Un anomalo e sconosciuto senso di felicità del tutto immotivato si protrae fino a quando entrambe arrivano alla porta del locale di culto. " NON ENTRARE LI ! TI FARANNO DEL MALE ! TORNA A CASA SEI MALATA ! COSA DIRANNO I TUOI FIGLI SE MUORI IN QUESTA CHIESA ? ". Questo ulteriore pensiero spaventa fortemente Arasmina facendole perdere immediatamente forza. Si guarda intorno pensando che qualcuno la stesse sgridando. Improvvisamente un lampo le attraversa la mente. " E se fosse la voce del nemico di Dio ? " Si chiede terrorizzata.

Giunta all'entrata della chiesa e decisa ad oltrepassare la soglia lo stomaco le duole improvvisamente fino a contrarsi del tutto. Alcuni credenti si avvicinano prontamente per soccorrerla. Piegata in due Arasmina ascolta un canto provenire dall'interno della chiesa. Una musica celestiale accompagnata da voci di Angeli a suo parere le sta parlando " Non temere Gesù ti ama ! ". Questo canto le inonda totalmente il cuore tanto da rigarle il viso con lacrime di disperazione. Lei non vuole morire di cancro. Arasmina sa bene che i suoi figli hanno ancora bisogno di lei.

Esaminando rapidamente la sua vita non ha il coraggio di chiedere a Dio di guarirla. I credenti intorno a lei capito la sua difficoltà fisica e senza conoscere il suo problema formano un cerchio invocando la benedizione del

Signore Gesù ed in concomitanza con le scritture Bibliche pregano con fede alzando le mani al cielo.

Improvvisamente lei avverte un forte conato di vomito. Si vergogna. Vorrebbe trattenere quel vomito ma non riesce, e davanti l'uscio della porta della chiesa, vomita sotto forma di una palla il cancro che l'aveva condannata a pochi mesi di vita. Tutti i credenti riconosciuto il miracolo avvenuto nel nome di Gesù lodano ad alta voce L'Iddio Altissimo cantando e ringraziandolo per le sue meraviglie. Adriana assistendo a tutta la scena scoppia in un pianto liberatorio. Arasmina accompagnata dai credenti all'interno della chiesa si accomoda su una sedia e circondata da tante attenzioni è visibilmente confusa dall'amore immeritato di Dio e dei suoi figli. Alcune credenti le porgono un bicchiere di acqua e zucchero. Lei si rende immediatamente conto di essere stata guarita quando per la prima volta dopo mesi riesce a parlare senza affanno. " DIO MIO TI RINGRAZIO ! ". Esclama in lacrime Arasmina osservando la moltitudine di persone all'interno della chiesa glofiricare Dio. Adriana stringendo forte la mano della madre la guarda sbalordita. " Come stai mamma ? ". Domanda come per chiedere conferma dell'avvenuto miracolo. " Dio mi ha Guarito ! " Esclama lei esplodendo in un pianto liberatorio alzando instintivamente le mani verso il cielo come per raggiungere Dio quasi volesse toccarlo. Adriana piangendo la abbraccia forte mentre tutti i credenti intorno a lei la circondano di sorrisi lodando Gesù ad alta voce.

Nonostante avesse appena ricevuto una miracolosa guarigione Arasmina seduta ed impaziente di ascoltare la predicazione della Bibbia avverte una strana agitazione. Non riesce a capire bene il perché dentro di lei ha inizio una lotta in modo forte ed angosciante. " Fratelli e Sorelle prendete posto per favore. Tra qualche minuto saremo pronti per offrire il nostro culto di adorazione e consacrazione a Dio ! ". Esclama uno dei pastori schierati sul pulpito.

Guardandosi intorno Arasmina è basita. Non è mai entrata in una chiesa grande come uno stadio. Tutti i credenti in preghiera hanno le mani rivolte verso il cielo e piangendo ringraziano Gesù per il Suo sacrificio e per la Sua Resurrezione. Rapita da questa bellissima immagine, anche lei chiude gli occhi, sperando di potersi rivolgere a Dio direttamente così come tutti i presenti. " Padre ti Amiamo ! " Dichiara improvvisamente una credente seduta accanto a lei. " Padre ! Quale meravigliosa grazia poter chiamare Dio. " PADRE " ! ". Pensa immediatamente Arasmina.

" Ok sei stata guarita ! Ora vattene da qui immediatamente ! ". Di nuovo questa voce prevale nella mente di Arasmina. Quest'ordine così perentorio la tenta nel lasciare la sedia ed andare via. Improvvisamente nella sua mente si affaccia una storia tratta dalla bibbia raccontatale soventemente dai suoi nonni quando era bambina. " I dieci lebbrosi guariti da Gesù ! ". Di questi dieci miracolati solo uno si voltò indietro per ringraziarlo del bene ricevuto. Arasmina non è mai stata una donna ingrata. Qualsiasi cosa la vita le avesse offerto lei l'avrebbe sempre accettata con gratitudine. Perché iniziare proprio ora dopo aver ricevuto una così grande guarigione ?. Improvvisamente un boato potente si ode in mezzo a tutti loro.

Il culto è iniziato ed il rumore di milioni di persone alzatasi dalle proprie sedie per stendere le mani al cielo e glorificare Dio la portano istintivamente a fare lo stesso. Voltatasi verso sua figlia Adriana vede la ragazza piangere e gridare a Dio. " Signore sono Adriana. Ti prego Salvami ! ". Esclama lei alzando le mani al cielo per ricevere una benedizione e la salvezza. Arasmina invece prova un senso di fastidio. Tra tante preghiere elevate con voci timorose e tremolanti a Dio la sua voce si distingue a causa delle sue strazianti urla. In piena crisi combulsiva si lascia cadere a terra iniziando a battere forte la testa contro il pavimento. Alcuni credenti la sollevano e la guardano fissa negli occhi mentre lei è intenta a squarciare la lode della sala con i suoi urli disumani.

I credenti presenti immediatamente formano un muro di cinta intorno a lei ed invocano il Nome di Gesù per una liberazione dallo spirito immondo. " NO BASTA ! ". Continua ad urlare Arasmina con una voce stridula mutando visibilmente il volto. " NON TORMENTATEMI PIU'CON QUESTA PREGHIERA LASCIATEMI IN PACE ! ". Esclama tentando di aggredire i credenti i quali, con occhi chiusi continuano a pregare intercendendo presso il trono della grazia di Dio affinchè Arasmina possa essere liberata dal demonio. Un credente si avvicina a lei e le chiede. " COME TI CHIAMI ? ". Arasmina continua a battere la testa contro il pavimento. Adriana vorrebbe aiutarla ma una forza maggiore la trattiene al di fuori del cerchio formato dai credenti intorno alla madre.

" HO CHIESTO COME TI CHIAMI ? ". Domanda autorevolmente di nuovo il credente con voce decisa. " SONO PAZZIA ! ". Replica lei con voce straziante. " IO TI ORDINO NEL NOME DI GESU' IL RISORTO DAI MORTI, IL FIGLIO DELL'IDDIO ALTISSIMO DI LASCIARE IL CORPO DI QUESTA DONNA IMMEDIATAMENTE ! ". Replica il credente alzando le mani al cielo. " NO ! ". Risponde lo spirito immondo continuando a straziare il povero corpo di Arasamina contro il pavimento. " NELL'AUTORITA' DI CRISTO GESU' E PER LA POTENZA DEL SUO SANGUE IO TI COMANDO DI ANDARE VIA DA QUESTA DONNA E DI NON TORNARE PIU'! VATTENE SPIRITO DI PAZZIA ! FUORI DAL CORPO DI QUESTA DONNA ! ". Esclama il credente con autorità soprannaturale. Dopo aver dato alcuni ultimi gridi sovraumani

Arasmina vede uscire qualcosa dal suo corpo. Una figura nera si allontana da lei e si reca nelle tenebre. I credenti accortosi della liberazione di lei aspettano qualche secondo prima di aiutarla a rialzarsi.

" Come stai sorella ? ". Domanda una credente accarezzandole dolcemente il viso. Il volto di Arasmina si riempie di lacrime. " GLORIA A DIO ! GLORIA A DIO ! ". Esclama durante la predicazione della Bibbia piangendo senza potersi fermare dalla gioia. " Gesù mi ha liberato ! Gesù mi ha salvato ! ". Continua a ripetere incessantemente lodando Dio anche lei con le mani alzate verso il cielo. Quello spirito di pazzia la possedeva da sempre e la guidava ad autolesionarsi fino a svenire. Ora era totalmente libera ed una pace soprannaturale, una gioia ed una serenità mai provata in tutta la sua vita le riempiono il cuore, e lei non può fare altro che Glorificare Gesù Cristo il Signore per la sua liberazione.

Appena riprese le forze Adriana abbraccia Arasmina forte. " Cosa devo fare per essere salvata anche io ? ". Domanda lei in lacrime ad una credente. " Figlia mia ripeti questa preghiera con fede: Caro Padre Celeste ti ringrazio per Gesù. Grazie per la sua morte e la sua resurrezione. Grazie per il SUO POTENTE SANGUE il quale lava ogni peccato. Grazie per la verità DELLA BIBBIA. Ti prego perdonami. Non riconosco nessun Dio all'infuori di te. Salvami ! Io voglio servirti con tutto il mio cuore. Nel nome di Gesù Cristo il Nazzareno il tuo Unigenito Figlio. AMEN ! ". Risponde la credente abbracciando forte Adriana. Alla fine di questa preghiera replicata con tutto il cuore Adriana avverte cadere dalle sue spalle un grande peso. " Gesù ti amo ! ". Esclama ad alta voce lodando Dio con le mani rivolte verso il cielo come Arasmina. Le lacrime di Adriana sembrano brillare come diamanti agli occhi di Arasmina la quale prende la mano della figlia per pregare per lei e con lei.

Il pastore durante la predica parla di un giovane, un ragazzo ribelle coinvolto nella malavita. Arasmina nel suo cuore prende quella parola da parte di Dio per Aldemir e presta maggiore attenzione alla predicazione. " Il figliol prodigo dopo aver sperperato tutti i suoi beni ritornò al padre, riebbe l'anello di appartenenza alla famiglia ed una veste nuova ! ". Esclama il pastore durante il culto. Arasmina ascoltando quelle parole e colpita nel suo cuore parla immediatamente con Dio. " Caro Dio. Mio figlio Aldemir non mi ha mai detto nulla sui suoi affari, però, dentro il mio cuore non posso negare di aver sempre saputo del suo coinvolgimento in affari loschi con la malavita delle favelas. Ti prego Dio non farlo morire come i tanti giovani uccisi giornalmente a causa dei loro crimini. Tu sei un Dio buono. Mi hai guarito e mi hai liberato. Hai salvato mia figlia Adriana. Ti prego Dio salva anche Aldemir ! ". Questa è la preghiera sottovoce di Arasmina detta con una voce appena percettibile in un chiasso fatto di milioni di persone gioiose nel lodare Dio. Il pastore stoppa la sua predica ed in mezzo a tante persone si dirige verso Arasmina la quale, ad occhi chiusi e con cuore rotto, continua ad invocare la benedizione di Dio su suo figlio e sulla sua famiglia.

"Sorella ! ". Sente chiamare lei senza neanche capire ancora il significato di questo prezioso appellativo.

Instintivamente Arasmina apre gli occhi e si ritrova il pastore accanto a lei. Sbigottita lo guarda in lacrime. " Sorella. Mentre predicavo il Signore Gesù mi ha detto di raggiungerti per dirti di non preoccuparti. Tuo figlio sarà tirato fuori dal suo giro di delinquenza. Accetterà Gesù come suo personale Salvatore e tu lo vedrai seduto su quel pulpito con gli altri pastori accanto a me ! Sarà un ministro di Dio molto potente. Dio lo userà per portare il messaggio fedele del Vangelo predicando in tutto il mondo ! ". Esclama il pastore imponendo le mani sul capo di Arasmina in lacrime.

" Dio mio ti ringrazio. Chi sono io per ottenere tanto favore da te? ". Domanda lei piangendo a singhiozzo. " Stai in pace Sorella ! Dio opererà molto presto ! ". Esclama lui pregando con Arasmina. Tutte le paure di Arasmina crollano in un istante e lei cade inginocchiata a terra, questa volta per ringraziare Dio dei suoi favori verso di lei e della sua famiglia. Le ore di adorazione, di predicazione e di lode anche se per la prima volta in quel luogo, per Arasmina sembrano minuti. Non vorrebbe mai andare via e come potrebbe ? Dio ha cambiato la sua vita in poche ore. Guarita, salvata e con una figlia credente in più con una profezia di benedizione su quel figlio tanto amato ma per il quale è sempre stata tanto in ansia.

" Mamma dobbiamo andare se perdiamo l'ultima corriera non potremo ritornare a casa e tutti saranno preoccupati ! ", Esclama Adriana a malincuore. Arasmina la guarda sorridente annuendo. " Va bene. Ad ogni in modo da oggi in poi noi verremo a tutti i culti in questa chiesa ! ". Risponde lei prima di abbracciare tutte le credenti sedute accanto ringraziandole per il loro amore.

Durante il tragitto tra la chiesa e la fermata della corriera il passo di Arasmina è molto veloce. Lei stessa non riesce a credere di camminare velocemente senza provare né stanchezza né affanno. Avverte un senso di leggerezza pari ad una piuma trasportata dal vento. Adriana guarda la madre felice condividendo appieno il suo stesso stato d'animo. La gioia e la serenità sono incontenibili da parte di entrambe tanto che nel correre verso la corriera continuano a cantare il canto ascoltato prima di entrare nella chiesa. Quel canto elevato con fede da alcuni credenti aveva preparato il loro cuore per ricevere Gesù Cristo come Salvatore.

" Aldemir, andiamo è tardi ! ". Esclama Pablo indossando

il suo giubotto di pelle nera per poi diregersi verso la moto parcheggiata nel cortile della casa diroccata.

Durante il tragitto verso la città Pablo spinge la motocicletta ad una velocità elevata effettuando slalom impossibili tra lampioni, bidoni dell'immondizia e malcapitati i quali, passeggiano svogliatamente al fine di trovare un momentaneo sollievo dall'arsura del giorno. Aldemir sente di aver bisogno ancora di più adrenalina. Il suo carattere frenetico e la sua sete di vita lo spingono ad andare sempre oltre i limiti consentiti. " Andiamo a fare spesa ? ". Domanda lui appena Pablo parcheggia la motocicletta in bella vista. " perché no ? ". Risponde Pablo guardandosi intorno scrupolosamente. Nel caos della città in piena estate si vedono turisti intenti a dissetarsi con gelati e frappè seduti in ogni angolo o panchina disponibili, fiaccati da un caldo insopportabile. Tutti loro sono preda facile per Aldemir e Pablo i quali, oltre ai loro giri di droga e racket, si dilettano come abili borseggiatori giusto per il gusto di far del male al prossimo. " Hey guarda lì ! ". Esclama Pablo facendo un occhiolino malizioso ad Aldemir. Lui capisce immediatamente e come due abili skater intraprendono un pericoloso slalom tra la folla urtando le persone intenzionalmente con l'intento di derubarle.

Aldemir non è ancora soddisfatto lui ha bisogno di più emozioni e le trova in un ragazzo seduto in una panchina intento a gustarsi un delizioso gelato al limone. " Hey guarda quello ! ". Esclama Pablo immediatamente indicandolo con il capo. Lui conosce da sempre l'avversione di Aldemir per i " figli di papà " come li ha sempre chiamati. " Penso sia della tua taglia, proviamo ? ". Domanda Pablo ridendo cinicamente. " Perché no ? ". Risponde Aldemir con fare spavaldo. Il ragazzo se pur intento a mangiare il gelato, nota immediatamente il fare furtivo e provocatorio di Aldemir, il quale sedutosi accanto a lui lo scruta minuziosamente.

" Cosa vuoi ? ". Domanda il malcapitato tremante mentre tenta di nascondere il suo imbarazzo aggiustando i suoi occhiali da nerd. " I tuoi abiti ! ". Esclama Aldemir senza mezzi termini. " Sei impazzito ? ". Risponde lui alzatosi immediatamente dalla panchina. " Dove credi di andare ? ". Domanda Pablo postosi immediatamente di fronte a lui per impedirgli la fuga. Il ragazzo avrebbe anche tentato una reazione ma Pablo volutamente mostra il suo fedele coltello con il quale avrebbe potuto fargli molto molto male. ". Cosa volete da me ? ". Domanda impaurito il ragazzo lasciando cadere il gelato. " Spogliati ! Vogliamo i tuoi abiti, altrimenti .. ! ". Continua a minacciare Pablo agitando vistosamente il coltello sotto il naso di lui.

Il ragazzo si guarda intorno. Cerca di raccogliere tutte le sue forze, vorrebbe gridare ma si rende conto dell'inutilità di questa reazione. Qualsiasi cosa avrebbe fatto sarebbe stata deleteria per lui. Morire per degli abiti, se pur firmati, non è davvero nei piani del povero malcapitato. Quindi, se pur vergognandosi, si spoglia e consegna i suoi abiti ad Aldemir così come imposto da Pablo. Lui li accetta, soddisfatto di aver ridicolizzato un altro figlio di papà costringendolo a denudarsi in pubblico, e sorridendo cinicamente contempla il suo operato ascoltando i commenti dei passanti i quali, appellano il malcapitato come pazzo. Alcuni poliziotti di ronda visto la numerosa folla accalcarsi attorno al ragazzo si recano per constatare cosa stesse succedendo ma Pablo ed Aldemir conoscendo bene i metodi della polizia Brasiliana si dileguano immediatamente tra la folla nascondendosi nell'oscurità della notte.

Arasmina è seduta in cucina e continua a guardare l'orologio. Fino ad allora abbattuta dalla sua malattia non si era mai resa conto di quanto tardi rientrasse il suo Aldemir. Adriana ed Alda erano abituate agli strambalati orari del fratello e per non far preoccupare la madre non le avevano mai detto che molto spesso Aldemir passava la notte fuori per andare a dormire in albergo con la fidanzata di turno. Il ticchettio dell'orologio è per lei una tortura.

Fissando la porta terrorizzata aspetta da un momento all'altro si presenti qualcuno per comunicarle della fine ingloriosa del suo amato figlio. Assolta nei suoi pensieri la mente di Arasmina ritorna alle parole pronunciate dal pastore. " Tuo figlio sarà un ministro del Vangelo e Dio lo userà per portare la Sua Parola in tutto il mondo ! ". Questa profezia la rincuora immediatamente e con la gioia associata alla sua guarigione e liberazione appena ricevuta, Arasmina avverte rinascere una fede certa ed attiva dentro di lei.

" Dove sei stato fino a quest'ora Aldemir ? ". Domanda Arasmina non appena Aldemir apre la porta per rientrare in casa. " MAMMA ? ". Risponde lui ad alta voce guardandola stupito. " Cosa fai in piedi a quest'ora è l'alba ! " Dichiara preoccupato Aldemir. " Ti aspettavo. Ho qualcosa da dirti ! ".

Replica lei guardando Aldemir fisso negli occhi. In quel momento lui si rende conto che qualcosa è cambiato nello sguardo di sua madre. Nota perfino il suo colorito roseo e sano.

" Oggi sono andata in una chiesa Evangelica. Davanti l'uscio, ho vomitato il cancro e sono stata liberata da demoni di pazzia dai quali ero posseduta ! ". Aldemir ascolta sua madre e non la riconosce più. " Liberata ? Guarita ? Cosa stai dicendo ? ". Domanda stupito mentre lei si accosta a lui per parlargli in modo più diretto. " Ascoltami bene Aldemir. Dio esiste e Gesù è davvero risorto dalla morte. Tu devi lasciare la tua vita dissoluta ed accettare Cristo Gesù come tuo Salvatore ! ". All'udire queste parole lui ha voglia di urlare e dà fondo a tutti i suoi sforzi per rimanere calmo e non inveire contro la madre. " Mamma per favore lasciami perdere ! ". Risponde cercando di compotarsi educatamente. In quel momento l'amore per il suo " cioccolattino " è superiore al suo istinto aggressivo. " Presto Dio ti chiamerà a servizio ! Tu lo servirai predicando in tutto il mondo la Sua Parola ed il messaggio di Salvezza di Cristo Gesù così come scritto nella Bibbia. Un Pastore mi ha dato questa profezia su di te e questa profezia è certa. ! ". Esclama Arasmina con fede.

Il viso di Arasmina emana una luce anomala. Qualcosa di molto profondo è successo in lei Aldemir ne è ben consciente. Quel legame speciale tra di loro ora sembra essersi come spezzato. Arasmina ha ora uno spirito diverso, la sua pace interiore non trova posto nel cuore agitato di Aldemir. Senza replicare lui abbassa lo sguardo e si reca in camera sua. "

Ricordati delle mie parole Aldemir. Presto sarai un servitore di Dio ! ". Dichiara Arasmina ad alta voce e con fede. Nel suo cuore Aldemir avverte un conflitto tra una vita da lui giudicata bella e piena di emozioni, ed una assurda profezia rilasciata da uno sconosciuto Pastore predicatore del Vangelo. Sicuramente Aldemir non avrebbe mai accettato di vivere una vita monotona e piatta come quella di un Pastore Evangelico anche se le parole di Arasmina lo hanno colpito molto.

E' mattina ed in casa regna una anomala pace. Arasmina ha acceso la radio e sta ascoltando della musica. Tutto sembra così nuovo e pulito. Un odore di bioches calde si spande per la casa accompagnato da un odore di cioccolata fumante. Adriana, Alda ed Aldemir, si svegliano dal loro dormire. Incuriositi da questa atmosfera così rilassante percepita perfino nella loro camera aprono lentamente la porta per vedere cosa succede. Si recano in cucina dove trovano a loro grande sorpresa Arasmina vestita di tutto punto, indaffarata ai fornelli dove prepara freneticamente la colazione. Da anni i ragazzi non vedevano la loro mamma così serena e felice.

Arasmina canta unisono con la radio alcuni cantici mentre apparecchia la tavola con il servizio buono da colazione comprato quando Almir era ancora con lei ed usava solo ed esclusivamente in occasioni speciali. Aldemir, Adriana ed Alda si accostano alla tavola dandosi un pizzicotto l'un l'altro per assicurarsi di essere svegli. " Buon giorno ragazzi ! La colazione è pronta ! ". Esclama Arasmina togliendo dal forno la teglia piena di brioches preparata mentre loro dormivano. " Mamma cosa succede ? ".

Domanda Alda meravigliata da tanta vitalità. " Dio mi ha guarito. Ho tre bellissimi figli. Sono in salute e posso riprendere il lavoro. La maledizione sulla mia vita è stata finalmente spezzata e presto Dio benedirà anche voi. Ho fede certa in questo ! Ora mangiate le brioches calde altrimenti si freddano ! ". Risponde Arasmina sorridendo serenamente continuando a saltellare a destra e manca tra il lavello ed il tavolo. Aldemir la osserva impressionato ed incredulo. Lui non ha memoria di una mamma così felice.

" Devo uscire ! Stasera rientrerò un po' più tardi. Non preoccupatevi per me, ok ? ". Esclama lui afferrando una brioches per recarsi verso la porta. " Fai colazione con noi ! ". Risponde Arasmina seduta al tavolo imburrando la sua brioches. " Non posso ! Devo andare a lavoro anzi, sono già in ritardo ! ". Replica lui aprendo la porta senza voltarsi. Arasmina lo guarda uscire ed avverte dentro di lei un buco nel cuore ." Signore Gesù proteggi mio figlio fino al giorno in cui la tua profezia su di lui si compirà ! ". Esclama sottovoce guardando Aldemir dalla finestra recarsi in fretta verso la casa diroccata.

In realtà Aldemir non ha nulla da fare vuole solo scappare da quel quadretto familiare a lui poco consono. A guardare Arasmina serena ed Adriana gentile con tutti lui avverte un inspiegabile senso di fastidio. Fino a quel momento Aldemir ha conosciuto solo il male nella sua vita e non è abituato ancora a conoscere il bene. Durante il tragitto le parole di Arasmina continuano ad affluire come un fiume in piena nella mente di Aldemir. " Mia madre è totalmente impazzita ! Io Pastore ? Per carità ! ". Esclama ad alta voce quasi volesse liberarsi da quella assurdità e scrollarsi per sempre di dosso l'idea di poter servire un Dio che non aveva niente voluto a che fare con lui fino a quel momento. " Perché dovrei servire un Dio così cinico ? Dov'era Lui quando mio padre mi ha lasciato ? Dov'era quando mia madre non aveva cibo da cucinare ? ". Continua a ripetersi durante tutto il tragitto per la casa diroccata.

" Allora sei pronto Aldemir ? " Domanda Pablo il quale, fino a quel momento lo aveva aspettato ansiosamente per attuare il piano della rapina al Tir. " Si ovviamente. Scusami non si era detto per stasera ? ". Domanda lui rientrato in se dopo la momentanea crisi di coscienza ". Abbiamo spostato tutto in mattinata. Tiago ha corrotto un guardiano del deposito ed ha saputo del cambiamento di itenerario e partenza del Tir. Il momento migliore per colpire è stamattina. Dai monta in moto siamo in ritardo ! ". Esclama Pablo accendendo la moto velocemente. Aldemir non riesce a capire del perché in quella mattina qualcosa dentro di lui lo trattiene a non voler partecipare alla rapina. Una strana vocina mai udita gli rivolge la parola consigliandogli di ritornare a casa. Lui non è abituato ad ascoltare i pensieri della sua mente ma quella voce così rassicurante e così dolce lo lascia perplesso. " DATTI UNA MOSSA ! ". Urla Pablo accellerando forte il motore della moto. L'ordine perentorio di Pablo distoglie Aldemir dalla sua immotivata paura per farlo balzare immediatamente in moto senza replicare.

Durante la consueta corsa spericolata di Pablo, Aldemir avverte una strana sensazione che avrebbe potuto benissimo chiamare prudenza. Come se stesse iniziando ad aprire gli occhi ai pericoli in cui si espone giornalmente solo per il gusto di sentirsi vivo. Pablo sfreccia con la moto tra i vicoli del quartiere ridendo ad alta voce spesso lasciando per qualche metro il manubrio della moto lanciata ad alta velocità ed urlando come un forsennato per assaporare quella sensazione di onnipotenza da sempre ricercata da tutti loro. " I ragazzi sono già sul posto. Agiremo in fretta ! ". Esclama Pablo parcheggiando la moto non appena arrivati alla postazione di osservazione. Aldemir si accovaccia nell'erba accanto a lui aspettando pazientemente di vedere il Tir spuntare dalla piccola collinetta per poi inscenare l'incidente che lo avrebbe fermato.

Sdraiato nell'erba sotto il sole Aldemir inaspettatamente sente di nuovo quella vocina dolce parlargli. " Sei sicuro di voler vivere in questo modo ? Ti emoziona essere sdraiato nella polvere come un animale ? ". Aldemir è spaventato. Non riesce a capire cosa gli stesse succedendo. Distoglie immediatamente lo sguardo cercando di distrarsi per far si che Pablo non si accorgesse di questo suo momento di follia da lui attribuito a troppa cocaina e marijuana. " Ecco la macchina con i ragazzi tra poco entreremo in azione ! ". Esclama Pablo portando la moto a folle fino la fine della discesa per poi sdraiarla sull'asfalto. Aldemir sceso in fretta dalla collina si posiziona a terra accanto alla macchina parcheggiata dai ragazzi fuori strada così come previsto nel piano.

L'asfalto è rovente e lui avverte un bruciore terrificante in tutto il corpo. " Ecco il Tir. Non appena si ferma e l'autista scende a soccorrerci tu sali sulla macchina mentre prendo il Tir ok ? ". Domanda Pablo perfezionando gli ultimi dettagli prima di agire. Aldemir annuisce abbassando la testa. Nell'avvicinarsi a loro l'autista prende a suonare forte il clacson del Tir tentando di spaventarli. Costatata la loro immobilità ancora nel Tir titubante il Camionista si ferma qualche metro prima della scena del falso incidente. Quando scende dal Tir per avvicinarsi a loro Aldemir lo osserva con la coda dell'occhio.

Un uomo alto, con una grande pancia indossa una canottiera bianca di cotone ed un cappellino rosso in pandan ad un pantaloncino rosso, spaventa Aldemir. Il camionista corre qualche metro affannosamente e visibilmente preoccupato si appronta a soccorrere i due. Pablo con repentinamente si alza i piedi. " Mani in alto ! Ora sediti sulla pietra. Ti consiglio di non reagire ! Il Tir lo prendiamo noi ! ". Urla Pablo minacciando il povero camionista con la pistola puntata alla sua fronte. " Una pistola nelle mani di un ragazzino. Una combinazione mortale ". Pensa immediatamente lui osservando la frenesia di Pablo derivata sicuramente da qualche striscia di cocaina tirata prima del colpo. " Hai l'età di mio figlio e vorresti uccidermi ? ". Domanda l'uomo sottovoce parlando lentamente e con calma. " Cosa hai detto ? Se hai il coraggio ripeti ! ". Risponde lui premendo forte la pistola alla tempia dell'uomo.

Guardando gli occhi di Pablo il conducente si rende conto di quanto sia grande la sete di sangue di quel ragazzo. A solo 18 anni crede di essere in grado di poter decidere della vita e della morte di tutti. L'uomo si zittisce immediatamente pensando alla sua famiglia ed abbassando lo sguardo pensa di evitare uno scontro che lo avrebbe portato a morte certa. " PABLO ANDIAMO ! ". Esclama Aldemir urlando per distogliere l'attenzione di Pablo allontanandolo dal conducente a strattoni. Aldemir conosce Pablo molto bene ed ha visto con i suoi occhi quanto possa essere crudele con le persone.

" Ringrazia il mio amico ! ". Esclama Pablo spingendo a fondo la pistola alla tempia del camionista. Aldemir monta in macchina per partire a velocità elevata seguito da Pablo a guida del Tir. Durante il tragitto fino al loro deposito segreto avverte il suo cuore battere forte. L'immagine di Pablo con la pistola puntata alla tempia di quell'uomo gli procura un grande senso di paura. Qualche ora prima quella stessa situazione gli avrebbe dato una grande dose di adrenalina ma ora qualcosa è inconsapevolmente cambiato dentro di lui. Per la prima volta Aldemir si rende conto della sua cattiva condotta di vita. Realizzando di essere impossibilitato a lasciare la banda continua a spingere la macchina al massimo per lasciare dietro di lui quei pensieri di umanità e di rimorso mai provati prima d'ora. " Sono Impazzito Del Tutto ! ". Urla improvvisamente Aldemir correndo forsennatamente come se non ci fosse un domani.

Pablo arriva nello spiazzale a sirene spiegate lampeggiando vistosamente in segno di vittoria. Colto dall'euforismo non si rende conto di ritrovarsi in uno spiazzale totalmente vuoto. Aldemir al contrario nota immediatamente l'assenza dei suoi compagni di scorribande. " PABLO C'E' QUALCOSA CHE NON VA, TORNIAMO INDIETRO ! ". Urla Aldemir nel tentativo di fermare Pablo impedendogli di parcheggiare il Tir.

Da anni dopo ogni colpo i ragazzi aspettano Pablo ed Aldemir nello spiazzale pronti a festeggiare con bottiglie di spumante aperte sparando in aria ed urlando come apache in pieno rito di guerra. " SCAPPATE E' UNA TRAPPOLA ". Si ode un urlo in un silenzio anomalo rotto solo dal rombo del Tir e della motocicletta. L'urlo di Tiago fatto di paura e disperazione allarma Aldemir il quale instintivamente si volta in direzione della voce per capire da dove provenisse. " FERMI POLIZIA deponete le vostre armi a terra. I vostri amici sono tutti in arresto. Se non farete resistenza nessuno si farà del male ! ". Dichiara un poliziotto dritto in piedi sul tetto dell'edificio. Pablo impavido carica la pistola e la punta verso il poliziotto pronto a sparare. In quel momento Aldemir intravede da una finestra dell'ultimo piano uno strano luccichio seguito da un boato improvviso. È un rumore di pistole ultimamente da lui conosciuto molto bene.

In un batter d'occhio i bozzoli dei proiettili veloci come scheggie riempiono parzialmente il cortile. Pablo ed Aldemir corrono dietro il Grande Tir cercando di nascondersi. Nei pochi minuti di sparatoria entrambe si guardano velocemente intorno per fare il punto della situazione. Aldemir indica la macchina. Non è molto lontana dal Tir ed estremamente facile da raggiungere per uno veloce come lui. " Prendo la macchina, ti carico e scappiamo ! ". Esclama lui tentando di dissuadere Pablo dal rispondere al fuoco. " Non sono un vigliacco ! ". Risponde lui impugnando la pistola pronto a fare fuoco. " Non essere stupido ! I ragazzi sono già stati catturati dalla polizia. Se rispondi al fuoco morirai. Prendiamo la macchina e diamocela a gambe ! " Replica Aldemir. Senza aspettare il consenso di Pablo lui corre velocemente verso la macchina per poi spostarla dietro il Tir. I Poliziotti continuano ad osservare la scena fermando il fuoco. " Fermatevi siete in arresto ! ". Continua a gridare l'uomo sul tetto.

Aldemir e Pablo saliti in macchina la accellerano al massimo nel tentativo di allontanarsi il prima possibile da quel luogo. I proiettili li inseguono a loro insaputa schivando Aldemir miracolosamente. Un elicottero ben nascosto sul tetto si eleva in volo inseguendo i due. A bordo dello stesso due poliziotti zelanti continuano a sparare alla cieca nel tentativo di fermare la fuga dei fuggitivi. L' elicottero perde definitivamente le tracce dei due quando Aldemir imbocca un fitto bosco dove appena fuori tiro lascia andare la macchina per poi scappare a piedi al fine di raggiungere la città più vicina e confondersi tra la folla.

" Oh mio Dio allontana il mio Aldemir da ogni male. Ti prego proteggilo dalla morte ! ". Rivolge questa accorata preghiera a Dio Arasmina seduta in chiesa durante la funzione di culto. " Cosa succede mamma ? ". Domanda Adriana seduta accanto a lei distolta da Arasmina dal seguire la predicazione della Bibbia. " Preghiamo per tuo fratello. La mia anima è agitata per lui. Ho paura possa succedergli qualcosa di male ! ". Risponde Arasmina preoccupata portando le mani al viso per chiudersi in profonda preghiera.

" Siamo arrivati ! ". Esclama Pablo impolverato e stanco dopo il lunghissimo tragitto percosso a piedi per arrivare all'entrata della città. " Come libereremo i fratelli ? ". Domanda Aldemir avvicinandosi ad una fontana per lavarsi il viso e rinfrescarsi. " Domani assumeremo un avvocato e concorderemo con lui il da farsi ! ". Risponde Pablo sputando in terra il sapore amaro della polvere ingerita durante la loro fuga.

Durante il cammino dalla città alla casa diroccata Aldemir è ancora frastornato. Non riesce a realizzare di aver perso membri della sua banda. Chi ci ha venduti ? Si domanda nell'entrare nella loro sala riunioni. Entrando nella stanza viene sorpreso dal rivedere Daniele seduto al tavolo con i più piccoli di loro, tenuti debitamente lontani dal furto del Tir da Pablo, al fine di proteggere le loro vite. " Ragazzi fidatevi di me, si può cambiare ! ". Esclama Daniele muovendo vistosamente le mani in mò di preghiera. " Daniele ! Piacere di riaverti nella banda ! ". Esclama Pablo aprendo una bottiglia di wisky con i denti per bere poi direttamente dalla stessa. " No. Sono venuto per parlare con tutti voi ! ". Risponde lui gentilmente. " Parlare ? Di cosa ? ". Domanda Pablo ridendo a crepapelle. Aldemir al contrario di Pablo è emozionatissimo nel rivedere Daniele. Il suo migliore amico ha un viso sereno e sorridente. Nel guardarlo Aldemir viene trasportato indietro nel tempo a quando tutti e due giocavano a pallone nel vialotto della casa di lui. " Ciao Daniele ! ". Esclama Aldemir con voce stanca poggiando i piedi sul tavolo. " Aldemir almeno tu ascoltami ! Sono venuto qui perché Dio mi ha mandato da voi ! ". Replica Daniele accomodantosi accanto a lui educatamente. " Dio ? Cosa vuole il tuo Dio da noi ? ". Replica Pablo schernendo vistosamente Daniele. " Il Signoer vuole salvare tutti voi affinchè lasciate per sempre questa vita dissoluta. Ho partecipato ad un culto in una chiesa Evangelica. Dio ha cambiato la mia vita ! Ho pregato e confessato i miei peccati per poi abbandonarli per sempre. Dio mi ha largito il Suo perdono tramite la grazia Salvifica in Gesù Cristo. Ieri in preghiera il Signore mi ha ordinato di venire qui da voi per salvare le vostre vite ! ". Dopo un attimo di silenzio tutti scrosciano in una fragorosa risata. Tutti tranne Aldemir.

Le parole di Daniele riportano la mente di Aldemir alla testimonianza di sua madre. Ora sono tre le persone a cui lui vuole bene a parlare di questo Dio miracoloso e della sua Salvezza offerta gratuitamente attraverso il Suo Figlio Gesù Cristo. Con fare indifferente Aldemir continua ad osservare Daniele e guardandolo dritto negli occhi scorge lo stesso sguardo felice e sereno di Arasmina ed Adriana. Uno sguardo limpido e fiducioso. Di certo in tutti loro è successo qualcosa di soprannaturale che lui non riusce a spiegare a se stesso. Tra gli scherni e le derisioni dei suoi ex amici Daniele abbattuto si reca verso la porta.

Aldemir mosso da curiosità e senso di protezione verso quello da lui considerato più di un fratello in carne si alza bruscamente dalla sedia per accompagnarlo al di fuori della casa diroccata. " Aldemir ti prego. Per il tuo bene ascoltami ! È tutto vero ! Salva la tua vita e la tua anima non c'è molto tempo, Gesù Ritorna ! ". In quel momento Aldemir non comprende il significato delle

Parole " GESU' RITORNA ! ". Ma incuriosito da tanta fede e tanto amore rimane totalmente spiazzato. " Daniele non posso. La vita che vivo è stata una scelta non una imposizione. ! ". Risponde lui con un evidente rammarico. " Non è vero ! Non hai scelto tu questa vita è stata questa vita a scegliere te. Io voglio offrirti una alternativa. Vieni in chiesa con me. Una volta sola. Se non ti piacerà ti prometto che mai più affronterò questo argomento con te ! ". Replica Daniele con un fare molto diverso dal suo usuale comportamento. Aldemir è affascinato dalla pace emanata dal volto di lui e se pur titubante decide di seguirlo con un un sentimento di curiosità mista ad incredulità.

Aldemir prende la sua macchina personale debitamente nascosta nella casa diroccata per raggiungere il luogo di culto con il suo amico Daniele. Durante il viaggio mille voci affollano nella mente di Aldemir. " Se lasci questa vita chi provvederà economicamente a tua madre ed alle tue sorelle ? Di certo non potrai più fare loro regali costosi come adesso ! ". Le voci tormentano Aldemir tanto da tentarlo di rigirare la macchina per tornare indietro. " Dio ti salverà e diventerai un pastore ! ". Le parole di Arasmina al contrario contrastano le voci di scoraggiamento nella testa di Aldemir protrattesi fino all'arrivo dei due davanti la chiesa dove Aldemir parcheggia la macchina spavaldamente.

Appena giunti alla stessa porta di entrata dove Arasmina aveva vomitato il suo cancro, Aldemir prova un forte senso di avversione. Si rifiuta più volte di entrare. Qualcosa nella sua mente continua a suggerirgli di scappare. Questa lotta interna si evidenzia anche dal suo viso dove svariate smorfie prendono forma a secondo del pensiero positivo o negativo. " Tutto bene ? ". Domanda preoccupato Daniele all'entrata della chiesa ". Ho marijuana e sigarette nascoste in tasca. Sono dipendente da queste sostanze fin da bambino e non potrò mai farne a meno. Tu mi conosci, non posso trasformarmi in un uomo di chiesa ! Per favore non farmi andare oltre. Salutiamoci ed ogniuno per la sua strada ! ". Esclama Aldemir tentando di nascondere un profondo stato di frustrazione interna.

" Sei arrivato fin qui. Non vuoi scoprire cosa è nascosto oltre questa porta ? ". Domanda Daniele sorridendo. Daniele conosce bene il carattere di Aldemir. Lui non si sarebbe mai tirato indietro davanti una sfida specialmente quando era così esplicita. " E va bene ma se ho voglia di fumare esco e fumo. Sei avvisato ! ″. Risponde Aldemir sbuffando vistosamente prima di entrare. Nella grande chiesa posizionati sul palco dei ragazzi sono intenti a suonare prima della funzione. Il loro semplice giocherellare e la loro gioia espressa durante il canto trasportano fisicamente Aldemir in un luogo sconosciuto.

Nell'osservare Daniele lo vede inspiegabilmente avvolto in una grande luce cosi come tutti i ragazzi del coro intenti a lodare Dio alzando le mani verso il cielo in preghiera. Una presenza benevola soprannaturale li avvolge e li protege. Aldemir guarda se stesso e si vede nelle più fitte tenebre in una oscurità malvagia così profonda da riuscire a stento a distinguere i propri tratti fisici. ‟ Iniziamo la funzione ! ″. Esclama Daniele alzandosi in piedi. Aldemir in silenzio annuisce avendo capito di trovarsi davanti a qualcosa di realmente diverso da lui conosciuto fino a quel momento. I primi cantici procurano in Aldemir un senso di pace ed una voglia di piangere. Lui non ha più pianto dal giorno in cui Almir lo ha lasciato eppure in quel momento avverte una sensazione di imbarazzante nudità così grande da procurargli un pianto involontario. Vede la sua anima scoperta e davanti a lui e tutte le sue riprovevoli azioni lo accusano procurandogli un forte dolore ed un pianto di pentimento. " Cosa succede ? ". Si domanda impaurito, osservando le persone intorno a lui in preghiera con occhi chiusi lodando ad alta voce il nome dell' Iddio Altissimo.

Il corpo di Aldemir diventa pesante come un macigno e non reggendosi più in piedi si lascia cadere di botto sulla sedia. Durante la predicazione una forza malvagia dentro di lui tenta di sbloccarlo al fine di permettergli di andare via di lì. Al pari una forza benefica più forte di quella lo trattiene saldamente fermo al suo posto. Aldemir appare pietrificato. Non riesce a muoversi. Gli unici sensi su cui ha ancora il controllo sono l'udito, la mente e la bocca. " Infatti Dio ha tanto amato il mondo da dare il suo Figlio unigenito, perché chiunque crede in lui non muoia, ma abbia la vita eterna. Dio non ha mandato il Figlio nel mondo per giudicare il mondo, ma perché il mondo si salvi per mezzo di lui. Chi crede in lui non è condannato; ma chi non crede è già stato condannato, perché non ha creduto nel nome dell'unigenito Figlio di Dio. Giovanni 3,16-18 ".

Le parole del predicatore durante la funzione aprono la mente di Aldemir. Lui avverte da parte del Pastore una sfida diretta. Quale strada avrebbe scelto alla luce di questa parola profetica ?. Credere significa Salvezza. Non credere significa Inferno !. Aldemir non crede nell'inferno anche se la sola parola lo fa tremare. La sua vita era già stata un vero e proprio inferno fin da piccolo.

Dorme poco, mangia quando capita, è schiavo di droghe ed alcool e vive giorno e notte nei tormenti e nella rabbia di essere stato abbandonato da suo padre. A tutti gli effetti la sua vita è un vero e proprio inferno. La domanda che Aldmir si pone in questo preciso momento è " Questi tormenti lo avrebbero accompagnati per l'eternità ? Neanche dopo la morte avrebbe avuto pace ? ". Alla luce di quella parola profetica letta dalla Bibbia Aldemir comprende una verità a lui sconosciuta. Vede se stesso condannato alle fiamme infernali ed al tormento eterno. In pochi secondi Aldemir decide di cogliere in quelle parole di speranza appena lette una opportunità di vita nuova, sana pacificia e serena. " Chi vuole accettare Cristo mi raggiunga davanti al palco pregherò per lui ! ". Esclama il pastore stoppando improvvisamente la predica. " Possibile stia chiamando proprio me ? ". Si domanda sbigottito Aldemir tra sé e sé. " Si Dio sta chiamando proprio te. Vieni qui davanti al palco, voglio pregare per te ! ". Replica il pastore. Adesso Aldemir ha la conferma di essere stato chiamato non da un uomo ma da Dio. In quanto nessun uomo può conoscere i pensieri del cuore di un altro se non pronunciati.

Nonostante tutto non ha il coraggio di raggiungere il palco e piangendo rimane fisso al suo posto alzando le mani verso il cielo in segno di aiuto. " Vieni con me. Ti accompagno io ! ". Esclama Daniele osservando attentamente Aldermir ed il suo visibile combattimento spirituale. Durante il tragitto tra la sedia ed il palco Aldemir sente le sue gambe farsi sempre più pesanti. " Sono stanco !

Non riesco a raggiungere il palco ! ″. Dichiara affanosamente al suo amico Daniele. " Coraggio ! Manca poco ! ". Risponde lui sostenendolo per le braccia. Il pastore tra milioni di giovani intravede Aldemir accompagnato da Daniele e facendo uno slalom veloce tra tutti i ragazzi si dirige diritto verso lui e ponendogli le mani sulla testa domandando " Figlio. Vuoi essere salvato da Gesù ? ″.

Aldemir è bloccato. Le sue labbra non riescono a proferire parola al contrario del suo cuore. Dopo un combattimento interno riesce ad esclamare sottovoce " Vorrei ma non posso ! ". Il pastore continua ad osservare Aldemir attentamente. " Ti ripeto ragazzo, vuoi essere salvato ? Vuoi accettare Gesù e la sua Salvezza nel tuo cuore ? ″. domanda osservando gli sforzi di Aldemir nel rispondere. " SI ! " Risponde lui con un filo di voce. " Allora io dichiaro nel nome di Gesù il Nazzareno figlio dell'Iddio Altissimo, che tu sia liberato da ogni legame satanico affinchè Cristo Gesù possa abitare nel tuo cuore per sempre ! ″. In quello stesso istante in cui il pastore pronuncia le parole Aldemir inizia a vomitare. Ad ogni conato di vomito vede uscire da se stesso un demone fino a quando esausto sviene tra le braccia di Daniele.

" Come ti senti figlio ? ". Domanda il pastore poggiando le mani sul capo di Aldemir. " Per la prima volta in vita mia sono libero ! ″. Replica lui piangendo. Il pastore annuisce e ponendo le mani sul capo di lui proclama. " Così ti dice il Signore Iddio tuo. Il Signore Onnipotente creatore del cielo e la terra. Tu sarai un mio servitore potente. Io ti userò per risvegliare il mio popolo in tutti gli angoli della terra. Ovunque tu andrai io sarò con te. Sarò favorevole con chiunque sarà favorelove con te e combatterò chiunque ti combatterà. Accetta questa parola e preparati perché molte battaglie ti attendono. Ma io ti libererò da tutte ! ". All'udire quelle parole il cuore di Aldemir sembra scoppiargli nel petto. " Come è possibile ? Dio ha scelto proprio me ? ". Domanda ad alta voce al pastore ripercorrendo nella sua mente tutte le scorribande a cui ha partecipato fino a quel momento.

Il pastore gli sorride annuendo. " Tu siederai con me su quel pulpito. Questa è parola certa. Me lo ha rivelato il Signore ! ". Replica lui accarezzando paternamente il viso in lacrime di Aldemir. Ritornando a posto accompagnato dal caro amico Daniele Aldemir avverte un senso di gioia e di felicità mai provata fino a quel momento. Tutto il peso, il dolore e l'angoscia erano spariti in un sol colpo. L'oppressione, i sensi di colpa e la rabbia erano scomparsi totalmente. Come se fosse uscito da un coma di anni e vedesse la luce per la prima volta. Seduto sulla sedia va con la mente alle parole di Arasmina. " Tu sarai un servo del Signore ! ". E mentre le lacrime scendono copiose dal suo viso ripercorre il pericolo a cui si era esposto nel pomeriggio quando i proiettili passavano accanto a lui schivandolo come se qualcuno lo stesse proteggendo. " Sarei dovuto morire oggi ma Dio non lo ha permesso. Ora riconosco che Egli ha un piano per me. Mio Dio sei grande e meraviglioso ! ". Esclama ad alta voce Aldemir continuando a piangere e ringraziare Dio per il Suo amore.

Una effusione di Spirito Santo riempie la chiesa e tutti cominciano a parlare in lingue sconosciute così come scritto in Atti degli apostoli capitolo 2 dal versetto 2 al versetto 4. " Venne all'improvviso dal cielo un rombo, come di vento che si abbatte gagliardo, e riempì tutta la casa dove si trovavano. Apparvero loro lingue come di fuoco che si dividevano e si posarono su ciascuno di loro; ed essi furono tutti pieni di Spirito Santo e cominciarono a parlare in altre lingue come lo

Spirito dava loro il potere d'esprimersi. ". Una grande ordinata confusione si sta manifestando in mezzo a loro. Come se una persona toccasse ad uno ad uno tutti i presenti. " Questa è la manifestazione dello Spirito Santo, non aver paura ! ". Esclama Daniele guardando Aldemir confuso. Lui scuote la testa sorridendo. " Non ho paura anzi, io desidero questa potenza dentro di me ! ". Rispone lui con fede. Appena finito di pronunciare quelle parole Aldemir sente avvolgersi da un fuoco soprannaturale ed inizia a saltare. Nel ricevere il battesimo dello Spirito Santo lui si abbandona completamente alla presenza di Dio lasciandosi inondare con fiducia come quando un bambino corre tra le braccia del padre per poterlo stringere forte a se e sentire il suo calore ed il suo amore.

" Il Signore è fedele ! ". Esclama Arasmina con le lacrime agli occhi. Dio ha fatto una promessa e la manterrà. Ne sono certa ! ". Libera con fede queste parole concludendo la preghiera con Adriana inziata da quando Aldemir era in pericolo schivando i proiettili della polizia. " Cosa pensi mamma ? ". Domanda Adriana guardando gli occhi di Arasmina brillare più che mai. " Tuo fratello ora è al sicuro. Il signore me lo ha rivelato ! ". Risponde lei alzandosi dalla sedia gustando di nuovo quell'inconfondibile senso di pace e di felicità proveniente dalla benedizione di Dio.

È notte fonda ed Aldemir non è ancora rientrato. Arasmina come sempre lo aspetta seduta al tavolo leggendo la sua Bibbia illuminata dalla luce di una flebile candela. Nel silenzio della notte i passi di Aldemir si odono dal fondo della strada. Arasmina ode il rumore del piccolo cancello cigolante aprirsi ed avverte un senso di felicità. Allo scuro di tutto aspetta con impazienza di vedere il volto del suo bambino trasformato dalla Gloria di Dio. "

Aldemir ! ". Esclama quando lui entra in casa. Il viso di Aldemir è totalmente diverso. I suoi occhi risplendono di nuovo dell'innocenza perduta precocemente. Lui non riesce a comunicare con sua madre. Per tutto il tragitto la presenza di Dio lo ha accompagnato ed avvolto come in un manto di amore e serenità. Ogni suo pensiero e parola lo porta alla grazia ricevuta da Cristo Gesù. Aldemir guarda Arasmina. Lei capisce immediatamente e senza proferire una parola corre verso di lui abbracciandolo forte.

Per la prima volta in tutta la sua vita Aldemir si sente parte di qualcosa di grande e di bello. " Dio mi ha salvato ! ". Dichiara con voce rotta e gli occhi pieni di lacrime abbracciando forte il suo cioccolattino come se fosse la prima volta. " Lo so ! ". Risponde lei ricambiando l'abbraccio teneramente. Nel letto Aldemir non riesce a dormire la sua mente va al momento in cui la presenza di Dio lo ha liberato da tutti i demoni che possedevano la sua vita. Quella sensazione di libertà associata ad una serenità interiore è così strana per lui. Dopo anni riesce ad addormentarsi senza fumare una sigaretta o tirare una striscia di cocaina.

È mattina presto ed Aldemir di buon ora si sveglia intenzionato a ritornare immediatamente in chiesa per poter glofiricare Dio. Vestitosi frettolosamente si reca in cucina dove trova Arasmina pronta per andare in chiesa accompagnata da Adriana. " Mangia la tua colazione sbrigati, dobbiamo andare in chiesa ! Il Signore nostro Dio ha qualcosa da dirci ! ". Esclama lei felice. Aldemir non ha voglia di sedersi a tavola e preso a volo un panino dal tavolo si reca frettolosamente verso la porta di uscita. " Coraggio o faremo tardi ! ". Risponde sorridente mentre corre lungo il piccolo vialetto. Arasmina non ha visto Aldemir mai così felice e pieno di vitalità. Durante il tragitto, seduto nella corriera, Aldemir guarda la strada. Quella stessa strada da lui percorsa per fare del male, per derubare, per drogarsi e per spacciare, ora lo sta portando verso la chiesa, per adorare Dio. Se qualcuno glielo avesse detto il giorno prima lui avrebbe riso a crepapelle fino a scoppiare. Ma ora osserva quei luoghi come se li vedesse per la prima volta.

" E'la nostra fermata ! ". Esclama Aldemir balzando dal sediolino della corriera come una molla balza fuori da un materasso. Frettolosamente lui si reca verso l'uscita. È tanto il desiderio di ritornare in chiesa che a stento riesce ad aspettare Arasmina ed Adriana le quali a passo moderato lo seguono a fatica. Giunti alla porta della chiesa Aldemir tira un grande sospiro di sollievo. " Finalmente ! ". Esclama entusiasta nel vedere milioni di persone entrare all'interno di una chiesa la cui grandezza non ha niente da invidiare ad stadio calcistico pieno zeppo di tifosi in ansia per vedere il calcio di inizio. " Il Signore sia lodato ! ". Inizia con queste parole la funzione il pastore dal palco avvicinandosi al microfono mentre in un grande boato si ode quando tutti contemporaneamente si alzano dalle proprie sedie per rispetto alla presenza di Dio. Il primo cantico porta Aldemir ad un altro livello di adorazione. Prova un senso di trasporto nello spirito da questo regno ad un regno immateriale dove angeli glorificano Dio salendo e scendendo dal cielo per presentare le preghiere dei credenti presenti e dei credenti di tutto il mondo. Davanti a questa visione celestiale Aldemir sente una fiacchezza nel suo corpo e con la poca forza rimasta si accomoda continuando ad avere occhi chiusi e lo spirito rivolto in adorazione.

" Aldemir ! ". Sente chiamare mentre continua ad essere concentrato nella preghiera e nella adorazione. Alza instintivamente la testa, e guardandosi intorno, cerca di scorgere chi lo avesse disturbato dalle sue preghiere. Convinto di essere stato vittima di uno scherzo da parte di qualche bambino impertinente riprende a pregare concentrandosi di nuovo per gustare la comunione con Dio.

" Aldemir ! ". Ode lui di nuovo quella voce questa volta ancora più decisa e determinata. Una voce perfettamente orchestrata dolce e profonda che bypassa il suo cervello per rivolgersi direttamente con la parte più profonda del suo essere. Aldemir incuriosito spontaneamente richiude gli occhi domandando. " Chi sei ? ". Qualche istante di silenzio fra la sua mente ed il suo cuore gli infonde un senso di timore. " Tu sei mio figlio ! Consacra la tua vita a me! Obbedisci alla mia Parola e seguimi. La mia potenza sarà su di te e tu mi servirai ! ". All'udire il suono di queste soavi parole Aldemir scoppia in un pianto di gratitudine incredulo e felice di aver ascoltato la voce di Dio per la prima volta nella sua vita. Appena finito la funzione di adorazione immediatamente Aldemir si reca al palco e timidamente con un filo di voce si avvicina ai pastori presenti ancora in preghiera ripieni di Spirito Santo.

" Dimmi Aldemir. Hai bisogno di aiuto ? ". Domanda il pastore usato da Dio per liberarlo dai demoni. " Vorrei sapere cortesemente cosa devo fare per servire il Signore ! ". Risponde lui timidamente alla tenera età di 18 e mezzo. Il pastore lo guarda seriamente e vista la determinazione di Aldemir lo indirizza immediatamente. " Devi studiare la parola di Dio. Recati dal diacono ed iscriviti al nostro istituto biblico. Non preoccuparti di nulla. Segui fermamente tutto quello che Dio ti ha comandato di fare ! ". Replica il lui incoraggiandolo a proseguire il cammino appena intrapreso.

Titubante Aldemir scende dal palco e attraversando il lungo corridoio si ferma davanti una porta. All'entrata c'è una targhetta dorata con la scritta " Iscrizioni per l'Istituto Biblico ! ". Facendosi forza dalle parole appena ricevute da Dio Aldemir bussa alla porta sperando per qualche secondo di non ottenere risposta avvertendo dentro il suo cuore un forte senso di indegnità visto la sua vita vissuta fino a quel momento. " Avanti ! ". Esclama una voce di uomo possente al di là della porta. " Sia fatta la tua volontà o Signore mio Dio. Eccomi sono a tua completa disposizione ". Dichiara Aldemir a bassa voce, e con quel poco di forza rimasta apre la porta per entrare.

" Come posso aiutarti ? ". Domanda gentilmente il pastore all'interno della stanza seduto dietro una grande scrivania. Da quando Aldemir fu richiamato a scuola dal preside per la marachella del petardo nei bagni, ha sempre avuto un certo timore di uomini seduti dietro la scrivania. " Mi chiamo Aldemir Santos. Dio mi ha salvato e voglio consacrare la mia vita a Lui. Il pastore mi ha detto di recarmi qui per iscrivermi all'istituto biblico. Cosa devo fare ? ". Domanda Aldemir timidamente.

Il pastore lo guarda. L'esile figura di Aldemir lo interenisce e con un sorriso gli indica di sedersi. Aldemir annuisce e pian piano si avvicina alla sedia posta davanti la scrivania per sedersi. " Compila questo modulo e presentanti domani mattina per il primo corso ! ". Esclama il pastore con voce gentile. Aldemir si aspettava una serie di domande alle quale non era ancora preparato a rispondere del tipo. " Da quanto tempo hai accettato Cristo come Salvatore ? Oppure " Sei battezzato con lo spirito santo ? ". Nella sua testa lui aveva già elaborato una veloce scaletta risultata inutile data l'assenza delle domande.

" Dove devo firmare ? ". Domanda Aldemir prendendo la penna. " Firma qui ! ". Risponde il pastore continuando ad osservare Aldemir. " Voglio dirti velocemente le regole della nostra scuola biblica. Tu frequenterai i corsi basati sulla parola di Dio e ti consacrerai con digiuno e preghiera. Successivamente sarai valutato dai pastori in base all'opera che Dio compie attraverso di te. Se lo Spirito Santo ci attesterà con segni prodigi e miracoli della tua chiamata al servizio allora ti affiancheremo a dei pastori e poi vedremo. Come Dio ci guiderà così faremo ! ", Conclude il discorso il pastore sorridente.

" Mi è concessa fare un'ultima domanda ? " Azzarda chiedere Aldemir prima di andare via. " Certamente ! ". Risponde il pastore incuriosito. " Cosa significa consacrarsi ? ". Domanda lui pendendo dalle labbra del pastore. " Consacrarsi significa vivere separato dal peccato.

Nell'istituto biblico imparerai la potenza derivante dal digiuno e la preghiera e come usarli per vivere una vita piena e felice con Dio ! ". Replica il pastore " Ora vai non preoccuparti ci vediamo domani. "

Aldemir lascia la stanza gioioso come non mai. Non sa cosa avrebbe dovuto fare ma non gli importa. Lui ha ancora nella mente chiara la chiamata di Dio al servizio. Nel rientro a casa seduto nella corriera Aldemir non proferisce parola. È completamente assolto nei suoi pensieri. Ha nel cuore di digiunare fin dalle prime ore del mattino per spendere del tempo in preghiera e nella lettura della Bibbia. Arrivato a casa e dopo aver mangiato qualcosa velocemente Aldemir si rinchiude in camera con la sua Bibbia nuova di zecca regalatagli da sua madre non appena saputo l'opera di Dio in lui. " Aldemir, hai letto qui ? ". Domanda Adriana seduta sul letto adiacente al suo anche lei intenta a leggere la Bibbia come lui.

" Qui dove ? ". Risponde lui riuscendo a stento nel distogliere lo sguardo dalla Bibbia tanto è preso nella lettura. Qui ascolta." Sei giorni dopo, Gesù prese con sé Pietro, Giacomo e Giovanni suo fratello, e li condusse sopra un alto monte, in disparte. E fu trasfigurato davanti a loro; la sua faccia risplendette come il sole e i suoi vestiti divennero candidi come la luce Matteo 17: 1 ". Aldemir ascolta attentamente la lettura del passo biblico appena letto da Adriana e dentro di lui un pensiero gli apre la mente come un fulmine a ciel sereno. " E se salissimo sulla montagna a pregare ? ". Domanda alla sorella pregustando una benedizione soprannaturale così come scritta nel Vangelo. " Di potrebbe fare !". Replica lei annuendo vistosamente. \

" Ascolta cosa faremo. Domani mattina di buona ora quando albeggia ci alzeremo e saliremo in cima alla montagna e li pregheremo ed adoreremo il nostro Dio. Ti piace l'idea ? ". Domanda

Aldemir. Ad Adriana sembra piacere molto la sua idea. " E sia ! ". Replica Aldemir gioioso e fiducioso che il Signore avrebbe operato in modo meraviglioso. Alle prime luci dell'alba Aldemir è già sveglio ed impaziente di iniziare la sua giornata alla presenza di Dio. Durante la notte ha dormito a stento tanto l'emozione di adorare Dio sul monte. La sua frenesia cresce di pari passo al sorgere della luce del sole. Aldmir si veste in fretta ed Adriana lo segue a ruota. Silenziosamente entrambe sgattaiolano fuori dalla stanza facendo attenzione a non svegliare Alda che avrebbe potuto rovinare i loro piani.

Appena fuori casa l'aria ancora umida della notte provoca ai due un brivido di freddo lungo la schiena ma questo non li scoraggia ed impavidi così come determinati individuano il sentiero da percorrere per poter arrivare alla cima. Dopo ore di cammino in strade deserte in un ora in cui perfino la delinquenza ha gettato la spugna, Aldemir ed Adriana si allontanano da un percorso battuto per inoltarsi in un percorso incolto e poco frequentanto che fiancheggia la montagna. " Come passeremo di lì ? ". Domanda Adriana scoraggiata. Al contrario Aldemir senza timore si addentra tra le spine e rovi per poter riuscire a creare un varco e permettere a sua sorella di passare incolume. " Fidati di me Adriana. Vieni non preoccuparti ! ". Esclama lui stendendo la mano verso di lei. Adriana preso coraggio nelle parole del fratello decide di attraversare rovi e spine e miracolosamente come se qualcuno li aiutasse a passare oltre i due riescono ad attraversare incolumi una fitta boscaglia piena di pericoli, di animali e di rumori sinistri.

Arrivati alla vetta i due si ritrovano davanti uno scenario surreale. Il sole sorge sopra la città. Dal monte tutto acquista una prospettiva diversa. Lo spirito di Aldemir e quello di

Adriana si solleva alla sola visione di quel paesaggio così maestevole ed immenso. I due non hanno mai riflettuto sul vero significato di salire sul monte per guardare il mondo in una prospettiva diversa. " Guarla li. Riesci a vedere la nostra casa ? ". Domanda Adriana entusiasta. Alle parole della sorella Aldemir riflette quanto possa essere prezioso salire sul monte dove ogni problema diventa più piccolo e leggero. Proprio come la sua casa così piccina vista da li.

" Dai inginocchiamoci e preghiamo. Siamo venuti fin qua sù per questo ! ". Esclama lui senza mezzi termini. Aldemir non vuole perdere altro tempo. È giunto in quel luogo per ricevere la benedizione di Dio in modo speciale e potente e non ha intenzione di perdersi in chiacchiere. " Signore Dio del Cielo e Della Terra siamo qui davanti a te come Gesù sul monte della trasfigurazione. Ti preghiamo Signore. Scenda la tua presenza in questo luogo così come quando la tua presenza è scesa nel pruno per parlare con Mosè ! ". Questa è l'accorata preghiera di Aldemir. Dopo qualche secondo il luogo dove Aldemir ed Adriana sono inginocchiati si infiamma di un fuoco che non consuma ma arde in un modo meraviglioso, potente ed inspiegabile. La presenza di Dio è scesa proprio come Aldemir ha richiesto. Lui ed Adriana avvertono lo Spirito Santo avvicinarsi a loro e toccarli in un modo così potente da cadere entrambe a terra come morti.

Aldemir ed Adriana prostrati davanti a Dio continuano incessantemente a ripetere. " Grazie Dio della tua reale esistenza e del tuo amore attraverso Cristo Gesù ! Grazie Per il sacrificio di Cristo ed il Sangue versato sulla croce. Grazie per la consolazione e la guida dello Spirito Santo ! Gloria onore e Lode siano rese a te da tutti i popoli della terra da ora in Eterno. Amen Amen ed Amen ! ". Aldemir ed Adriana non si rendono conto del tempo speso in preghiera. " Signore parla, il tuo servo ascolta ". Urla improvvisamente Aldemir con le mani protratte verso il cielo. Dopo un breve silezio sente nel suo cuore la stessa voce che aveva sentito in chiesa raggiungere la parte più profonda del suo essere. " Aldemir, mio servo. Comincia il digiuno e la preghiera. Leggi la mia Parola e ti sarà detto cosa dovrai fare per me ! ". Ordina il Signore ad Aldemir il quale prostato faccia a terra continua a piangere ringraziando Dio per la sua rivelazione.

" Dove sono finiti quei due ? Il pranzo è pronto ed ancora non sono qui ! ". Esclama Arasmina preoccupata rivolgendosi ad Alda. " Cosa mi nascondete ? ". Domanda sospettosa. " Nulla. Sono usciti stamattina presto per andare dove non so ! ". Risponde Alda preoccupata almeno quanto la madre. Arasmina continua a guardare l'orologio intrattenendosi con una credente. Una donna timorata di Dio recatasi a casa sua per leggere con lei le scritture e pregare insieme. Quando si apre la porta Aldemir ed Adriana entrano senza dire una parola. I loro occhi risplendono come due stelle ed il loro viso sembra quasi trasfigurato. È tanta la potenza di Dio in loro che Alda ha timore perfino di rivolgere la parola ai suoi fratelli. " Dio è in loro ! ". Esclama Arasmina guardando i due figli estasiata.

Aldemir si avvicina alla mamma e prendendola per mano inzia a pregare con lei e per lei. Una pace ed un silenzio inondano tutta la casa. Alquanto anomalo se si pensa che in pieno pomeriggio nei vicoli delle favelas si ode un brusio a dir poco infernale. Arasmina, Aldemir ed Adriana in preghiera sembrano incuranti dal mondo intorno a loro. Niente urla di bambini e niente rumori di motociclette. Niente litigate udibili dai balconi e niente rumori molesti. Tutti e tre sono in perfetta comunione con Dio dove nulla riesce a distoglierli. Sono rinchiusi in una bolla spirituale totalmente estranea dal mondo naturale dell'essere umano. " IO TI HO TRATTO DALLA GAMBA DI SATANA PER SERVIRMI. IO STESSO TI PREPARERO' SI PRONTO ED ATTENTO QUANDO MI MANIFESTERO' A TE ! ". Esclama improvvisamente la donna durante un momento profondo di comunione. Aldemir riconosce immediatamente la voce di Dio attraverso questa profezia che parla direttamente al suo cuore confermando la rivelazione ottenuta direttamente faccia a faccia da Dio sul monte.

È notte fonda. Dopo l'incredibile giornata di preghiera e di comunione con Dio Aldemir decide di andare a letto presto e crollato dal sonno è già sdraiato nella sua " branda " . " Aldemir. Aldemir ! ". Ode lui una voce che dolcemente lo sveglia dal sonno. Aldemir si stropiccia gli occhi e mezzo assonnato si guarda in giro. Ancora tra veglia e sonno ricomincia a dormire. " Aldermir. Aldemir svegliati ! ". Al suono di questa voce Aldemir riapre gli occhi e con grande sopresa vede un Angelo mandato da Dio accanto a lui. " Chi sei ? ". Domanda con naturalezza. " Sono un angelo mandato da Dio. Sono qui per istruirti. Vieni con me ! ". Risponde l'angelo stendendo la mano. Aldemir immediatamente si alza dal letto e vestitosi rapidamente segue l'angelo di Dio.

L'angelo stende la mano ad Aldemir ed in un batter di ciglia si ritrovano in città. Lui è sorpreso di se stesso. Nonostante l'angelo fosse una entità soprannaturale, e stesse egli infrangendo ogni regola naturale, Aldemir non è affatto sorpreso o sgomentato. Lui segue obbedendo a tutte le parole dell'Angelo. " Guarda quella donna, cosa vedi ? ". Domanda l'angelo mandato da Dio. Aldemir la guarda. Lei è una evidente prostituta adagiata sotto un lampione aspettando clienti e lanciando frasi di circostanza per addescare qualche malcapitato. "

Vedo una prostituta ! ". Esclama Aldemir guardando l'angelo. " Aldemir guarda bene, cosa vedi ? ". Domanda di nuovo pazientemente l'angelo. Aldemir si volta di nuovo in direzione della prostituta e vede dei demoni dentro di lei ed attorno a lei. Allora spaventanto si rivolge verso l'angelo di Dio. " Vedo dei demoni ! ". Esclama sbigottito. " Non aver paura Aldemir perché Dio, tramite la morte e la resurrezione di Cristo Gesù ha dato autorità ai suoi figli su ogni demone e su ogni potestà. Scaccia via quei demoni nel nome di Gesù ed essi lasceranno quella donna ! ". Aldemir tira un sospiro profondo. Ha bisogno di coraggio. Fortificato dall'esperienza soprannaturale vissuta sul monte e nel pomeriggio in preghiera con Arasmina ed Adriana si dirige verso la prostituta.

La donna lo guarda in modo lascivo e provocatorio, mentre Aldemir continua a vedere in lei i demoni così con voce autoritaria urla. " Io ti vedo

Satana e ti ordino Nel nome di Gesù il Nazzareno risorto dai morti secondo le scritture di lasciare questa donna ! ". In quel momento la donna comincia a contorcersi urlando e schiumando come una forsennata. " NO VATTENE VIA TU ! ". Risponde il demone con voce stridula cercando di intimorire Aldemir il qual,e con maggiore coraggio, prende forza nella fede ed urla. " NON HO TEMPO DA PERDERE CON TE. TU NON PUOI VINCERE CRISTO GESU'. IO TI COMANDO NEL NOME DI GESU' IL NAZZARENO RISORTO DAI MORTI E PER LA POTENZA DEL SUO SANGUE DI LASCIARE QUESTA DONNA ! ". Solo allora i demoni straziando il corpo della ragazza la abbandonano non prima che lei avesse vomitato schiuma verde dalla sua bocca e perfino dalle narici.

Quasi svenuta a terra Aldemir si precipita ad aiutare la ragazza. La guarda attentamente e non vede più nulla. La sua anima è completamente libera come una casa appena pulita. " Come ti senti ? ". Domanda lui preoccupato. " Dove mi trovo ? Cosa mi è successo ? ". Farfuglia la donna disordinatamente. " Cristo Gesù ti ha appena liberata vai in pace. Leggi la bibbia e non ti prostituire più perché i demoni usciti da te ritorneranno e se tu non dai la tua vita in obbedienza a Dio ti possederanno di nuovo ! ". Esclama Aldemir. La donna avverte dentro di lei una sensazione di benessere e si guarda intorno come se si fosse appena svegliata da un incubo piangendo. " Sono una peccatrice ! ". Urla disperata, cosa devo fare per ottenere la vita eterna ? ". Continua a dire piangendo

" Leggi la bibbia e ripeti con me : IO ACCETTO CRISTO COME MIO PERSONALE SALVATORE. CON LA MIA BOCCA CONFESSO LA MIA FEDE. CON IL MIO CUORE ACCETTO LA SALVEZZA E LA PURIFICAZIONE ATTRAVERSO IL SANGUE DI GESU' ! ". La donna in lacrime e singhiozzo ripete le parole di Aldemir ed immediatamente lo Spirito Santo riempie il suo cuore.

" Aldemir, Aldemir vieni con me ! ". Chiama l'angelo non appena vede il Signore operare salvezza in quella donna. " Dove andiamo ora ? ". Domanda Aldemir. L'angelo stende la mano verso Aldemir ed improvvisamente si ritrova in una strada dove un bambino triste è seduto sul ciglio della strada. " Aldemir cosa vedi ? ". Domanda l'angelo indicando il bambino. " Vedo un bambino ! ". Risponde lui guardando all'angelo. " Aldemir guarda bene cosa vedi ? ". Domanda l'angelo guardando in direzione del bambino. Aldemir si volta di nuovo verso il fanciullo e vede il suo corpo come se fosse una radiografia. " Vedo dei problemi nei polomoni del bambino. Non riesce a respirare ! ". Risponde Aldemir guardando verso l'angelo.

" Vai e imponi le mani pregando nel nome di Gesù Cristo il Nazzareno perché è scritto nella Sua Parola, imponete le mani sugli ammalati nel suo nome ed essi guariranno ! ". Aldemir fiducioso delle parole dell'angelo si reca verso il bambino ". Cosa hai piccolo ? ". Domanda inginocchiandosi davanti a lui per guardarlo negli occhi. " Sono molto malato non riesco a respirare. Vorrei giocare e correre con gli altri bambini ma non riesco perché sono stanco ! ". Esclama lui tristemente.

Aldemir guarda verso l'angelo e chiede al bambino " Vuoi che io preghi per te ? " il bambino guarda Aldemir negli occhi ed annuisce accennando un piccolo sorriso. " Dio padre nostro nel nome del tuo figlio Gesù Cristo risorto dai morti e per la potenza del Suo prezioso sangue io ti invoco su questo bambino. Oh Signore guariscilo dalla sua malattia. Guarisci i suoi polmoni fa che questo bambino possa vivere una vita felice e serena e giocare con i suoi amici come un bimbo normale ! ". Non appena finita la preghiera il bambino emette un forte colpo di tosse dove espelle del muco.

Aldemir lo guarda attentamente e vede i suoi polmoni liberi. Il bambino si alza immediatamente " Gesù mi ha guarito. Grazie Signore sconosciuto di aver pregato per me ! ". Esclama contento correndo velocemente verso la madre. L'angelo stende di nuovo le mani verso Aldemir ed in un batter d'occhio si ritrovano di nuovo nella sua camera. " Riposa ora Aldemir e ricorda tutto quello che è successo stanotte per metterlo in pratica durante tutto il tuo ministero. Questa è una preparazione mandata dal cielo. Dio mi ha detto di dirti che ora sei pronto. Fortificati nella Parola, studiala, mangiala, conservala nel tuo cuore. Abbi scrupolo di metterla in pratica affinchè Dio possa accompagnare il tuo ministero con le sue Opere potenti nel nome di Gesù Cristo il Signore. Il nome in cui ogni ginocchio si piegherà in cielo in terra e sotto la terra. Unico Nome dato agli uomini per il quale possano raggiungere la Salvezza. Il nome di Gesù Unigenito figlio di Dio risorto dai Morti benedetto in Eterno da ora e per tutti i secoli. Chi crede dica AMEN ! ". Aldemir replica " AMEN AMEN ED AMEN ! ". Mentre vede svanire l'angelo davanti ai suoi occhi per rimettersi a dormire in serenità.

FINE

Così inizia il ministero del Pastore Aldemir Santos il quale dura fino al giorno d'oggi. Tante altre testimonianze ha da raccontare ma non ora, non in questo libro.

Riprenderemo il discorso nel prossimo manoscritto " IL VIAGGIO MISSIONARIO " Vol. 2 di questa raccolta

" Poiché dove il peccato abbonda, la grazia di Dio Sovrabbonda ! "

Romani 5:20

DIO VI BENEDICA

Il Pastore Aldemir Santos e Sua Moglie Tesone Milena attualmente sono impegnati con l'opera evangelistica in Italia. Ancora oggi il Pastore Santos segue fedelemente la voce di Dio dovunque Egli lo guida. La Trasmissione in Diretta del Pastore Santos su Youtube e Facebook ha portato beneficio a tante persone le quali guarite e liberate rilasciano la loro testimonianza nel programma per incoraggiare la fede di tutti gli ascoltatori credenti e non credenti. Con sua moglie Milena si occupano delle innumerevoli persone che giornalmente li contattano per richiedere preghiere, conforto ed aiuto. Insieme vivono una vita interamente dedicata all'opera di Dio. A Breve sarà girato un film Realizzato dalla Pulsart Company Production tratto dalla sua straordianria vita.

Segui le trasmissioni LIVE del Pastore Santos sui suoi social ufficiali YOUTUBE E FACEBOOK

Incontro con Cristo ore 06:00 AM

Liberi con Dio ore 15:30 PM

CONTATTI

Sito internet : http://aldemirsantos.goline.it

Youtube: www.youtube.com/channel/UCDshvNLW79JYWkMJ_nXcwew

Facebook: www.facebook.com/Pastore-Aldemir-Santos-102259299192667/

Instagram: www.instagram.com/pastorealdemirsantos/

Twitter: https://twitter.com/AldemirRSantos

PER RICHIESTE DI PREGHIERA INVIA

UN WHATSAPP A +39 329 207 0955

TRA TERRA E CIELO VOLUME 1 " THE BEGINNING "

AUTRICE MARISA BROGNA

CONTATTI

Sito Internet : http://www.brognamarisa.goline.it/

http://www.brogna-marisa.goline.it/

Twitter : https://twitter.com/MarisaBrogna

Facebook: https://www.facebook.com/brognamarisa

Instagram : https://www.instagram.com/brognamarisa/?hl=it

Linkedin: https://www.linkedin.com/in/marisa-brogna-044327142/

Youtube : **https://www.youtube.com/channel/UCwjMo6za8hTDEMh-iCDwzzw**

IMDB: **https://www.imdb.com/name/nm11343368/**

Whatsapp Businessi: +39 392 76 65 650

Printed in Great Britain
by Amazon

32998066R00136